中华人民共和国法律释义丛书
全国人民代表大会常务委员会法制工作委员会　编

中华人民共和国
妇女权益保障法释义

主　编：信春鹰（全国人大常委会法制工作委员会副主任）
副主编：李　援（全国人大常委会法制工作委员会行政法室主任）
张世诚（全国人大常委会法制工作委员会行政法室副主任）
黄　薇（全国人大常委会法制工作委员会行政法室处长）
撰稿人（以姓氏笔画为序）
刘海涛　张世诚　郑全红
黄海华　黄　薇　童卫东

法律出版社

图书在版编目(CIP)数据

中华人民共和国妇女权益保障法释义 / 信春鹰主编
北京：法律出版社，2005.10(2018.11 重印)
(中华人民共和国法律释义丛书)
ISBN 978-7-5036-5877-8

Ⅰ.①中… Ⅱ.①人… Ⅲ.①妇女权益保障法—法律解释—中国 Ⅳ.①D923.85

中国版本图书馆 CIP 数据核字(2005)第 112440 号

中华人民共和国妇女权益保障法释义
ZHONGHUA RENMIN GONGHEGUO
FUNÜ QUANYI BAOZHANGFA SHIYI

信春鹰 主编

责任编辑 麦 锐
装帧设计 李 瞻

编辑统筹 法规出版分社
出版 法律出版社
开本 850 毫米×1168 毫米 1/32
总发行 中国法律图书有限公司
印张 7.25
经销 新华书店
字数 160 千
印刷 北京玺诚印务有限公司
版本 2005 年 10 月第 1 版
责任印制 吕亚莉
印次 2018 年 11 月第 3 次印刷

法律出版社/北京市丰台区莲花池西里 7 号(100073)
网址/www.lawpress.com.cn
投稿邮箱/info@lawpress.com.cn
销售热线/010-83938336
举报维权邮箱/jbwq@lawpress.com.cn
咨询电话/010-63939796

中国法律图书有限公司/北京市丰台区莲花池西里 7 号(100073)
全国各地中法图分、子公司销售电话：
统一销售客服/400-660-6393
第一法律书店/010-83938334/8335 西安分公司/029-85330678 重庆分公司/023-67453036
上海分公司/021-62071639/1636 深圳分公司/0755-83072995

书号：ISBN 978-7-5036-5877-8 **定价**：36.00 元

总　序

人类文明的历史上,还没有哪一个时代像中国的改革开放40年一样,在历史长河中掀起如此巨大的浪花——它不仅深刻改变了一个国家的面貌与精神气质、使数亿人摆脱贫困,还极大地改变了世界格局。

1978,在那一年的年底,中共中央一次全体会议——十一届三中全会扭转了中国的前进方向,开辟了一个时代。回首过去,我们发现,一些观念从那时开始在中国出现,一些声音从那时开始逐渐响起,一些人物开始登上历史舞台。从这一年开始,随着"加强社会主义民主,健全社会主义法制"历史性任务的提出,"法制"两个字进入了人们的视野;政法机关开始恢复重建;法律院系开始蓬勃发展。一部部法律从庙堂走进了人们的生活,一次次裁决推动着国家前进的脚步。从"有法可依、有法必依、执法必严、违法必究"到"科学立法、严格执法、公正司法、全民守法";从"法制"到"法治";从法治观念的形成到"依法治国,建设社会主义法治国家"写进宪法,再到"法治国家、法治政府、法治社会一体建设",人们对法治的认识步步深入,中国的改革不断向前推进,结出丰硕的果实。在中国共产党的带领下,这个励精图治的古老国度,再一次创造了改革的奇迹。

40年发生了无数故事,40年产生了许多事物。为了纪念这难忘的40年,本社组织编辑出版了一批“纪念改革开放40周年”主题图书。这些图书,将40年来颁布的重要法律及其释义甄选汇集,将法学领域有代表性的学术论文萃取精编,把有关政法机关的重建、法律院系的重生与发展进行展现,将一批被时代改变命运的人物再次唤起。我们希望从法律与法律人的视角,重新审视过去的40年,认真体会这不平凡的40年。

如江河东下,逝者如斯。岁月总会过去,人事总有代谢,但一个不平凡的时代留下的深刻痕迹,永远不会磨灭。“不忘初心,牢记使命”,习近平总书记在党的十九大报告中向全党发出的号召,使我们有理由期待,下一个40年,中国将更加惊艳!

法律出版社编辑委员会

2018年10月

出 版 前 言

《中华人民共和国法律释义丛书》是由全国人大常委会法制工作委员会组织编辑的一套系列丛书。

该套丛书由一系列法律释义组成。邀请有关专家、学者和部分参与立法的同志编著。该丛书坚持以准确地反映立法宗旨和法律条款内容为最基本要求,在每部法律释义中努力做到观点的权威性和内容解释的准确性。

我们相信,该套丛书的陆续出版,将会给广大读者进一步学好法律提供有益的帮助。

重 印 说 明

本次重印,是为改革开放40周年制作的特别纪念版,为了保持内容原貌,未对正文和附录作实质修改。个别法条内容有修订或修正的,以脚注形式作了标注。特此说明。

2018年10月

前　言

2005年8月28日，十届全国人民代表大会常务委员会第十七次会议以高票审议通过了《关于修改〈中华人民共和国妇女权益保障法〉的决定》。《妇女权益保障法》是我国第一部全面、综合、专门维护妇女权益的法律，是我国的妇女基本法，它于1992年4月经七届全国人民代表大会第五次会议审议通过。这部法律实施十三年来，对于保障妇女的合法权益，实现男女平等，充分发挥妇女在社会主义现代化建设中的作用，促进社会文明进步，发挥了重要的作用。但是随着我国社会经济的快速发展，在妇女权益保障方面出现了一些新的情况和问题，需要从制度上予以解决，由法律作出相应的回应，是此次修改《妇女权益保障法》的主要考虑。修改后的《妇女权益保障法》明确规定了“实行男女平等是国家的基本国策。国家采取必要措施，逐步完善保障妇女权益的各项制度，消除对妇女一切形式的歧视”等内容，在保障妇女的六大合法权益，即政治权利、文化教育权益、劳动和社会保障权益、财产权益、人身权利和婚姻家庭权益方面增加了一些更有针对性的规定，同时进一步强化和完善了法律责任以及对妇女的救助措施，以更好地保障妇女的合法权益。

为了配合对修改后的《妇女权益保障法》的学习、宣传，我们编写了本书，参加撰稿的同志都是直接参加了本法立法工作的。本书力求准确、详尽、通俗地逐条解释本法每一条的内容，以帮助广大读者更好地学习和理解法律的规定。

作者

2005年9月

目　录

第一部分　释　义

第二部分　附　录

第一部分　释　　义

第一章　总　　则

第一条　为了保障妇女的合法权益，促进男女平等，充分发挥妇女在社会主义现代化建设中的作用，根据宪法和我国的实际情况，制定本法。

【释义】　本条是本法立法宗旨和立法依据的规定。

新中国成立后，我国妇女的解放和发展取得了举世瞩目的成就，妇女在政治、经济、社会、文化和婚姻家庭等方面享有的权利得到了有效促进和保护。改革开放以来，我国妇女事业广泛地参与了国际交流与合作，日益得到世界各国的了解和支持。我国是《消除对妇女一切形式歧视公约》的缔约国，参与了《到2000年提高妇女地位内罗毕前瞻性战略》的制定。过去十年，伴随着我国改革开放和社会主义现代化建设的巨大进展，我国妇女权益保障工作取得了长足的进步。

《妇女权益保障法》是我国第一部全面、综合、专门维护妇女权益的法律，是我国的妇女基本法，其立法宗旨是全面确立妇女权益保障的法律机制，在社会主义现代化建设的过程中进一步实现男女平等，充分发挥妇女在社会主义现代化建设中的作用。

男女两性在社会中的地位和相互关系，归根结底是由一定的社会制度决定的。我国现正处于社会主义初级阶段，几千年来男尊女卑的封建制度和封建思想造成的种种后果还不能在短期内完全消除,妇女权利的行使还受着社会经济和文化发展水平的制约。男女两性在法律上的平等已经基本实现,但是,法律上的平等和实际生活中的平等之间仍有较大差距。通过对妇女权益的保障促进男女平等,使男女在法律地位平等的基础上,逐步走向在实际生活中的完全平等,这也是妇女立法的出发点和归宿。另一方面,妇女群体本身还具有某些不同于男性的特殊权益。因此,只讲男女平等是不够的,必须从立法上强化对妇女特殊权益的保护。

当前我国正全面建设小康社会,最根本的是要坚持以经济建设为中心,不断解放和发展社会生产力,加快经济发展。而占人口半数的广大妇女是发展社会生产力的一支重要人力资源,要实现十六大提出的经济建设和改革的主要任务,必须充分调动广大妇女的一切积极因素,使她们在平等的竞争舞台上毫无束缚地发挥智慧和力量,各尽其能,各得其所。

本法在制定过程中从法律的角度主要从两方面保障妇女权益:其一,以授权性规范为手段,从正面授予妇女应有的法律权利;其二,通过禁止性规范和义务性规范要求法律关系主体必须作为某些行为或不得作为某些行为,从而保障妇女的权益得以实现或补偿妇女权益所受到的侵害。

本法制定的依据是宪法和我国的实际情况。宪法是国家的根本法,是我国法律体系的基石,是制定法律的依据,具有最高的法律效力和权威,一切法律、行政法规和地方性法规都不得与宪法相抵触。全国各族人民、一切国家机关和武装力量、各政党和各社会团体、各企事业组织都必须以宪法为根本的活动准则。《宪法》第2条明确规定:“中华人民共和国的一切权力属于人民。”第33条规定:“中华人民共和国公民在法律面前一律平等。国家尊重和保障人权。”第48条规定:“中华人民共和国妇女在政治的、经济的、文化的、社会的和家庭的生活等各方面享有同男子平等的权利。国家保护妇女的权利和利益,实行男女同工同酬,培养和选拔妇女干部。”第 49 条规定:“婚姻、家庭、母亲和儿童受国家的保护。禁止破坏婚姻自由,禁止虐待老人、妇女和儿童。”这些规定都是本法立法的直接依据。

随着我国经济和社会的发展,广大妇女的维权意识有了很大提高,但在妇女权益的保障方面也出现了很多新情况、新问题。这主要表现在:一是在政治权利方面,广大妇女参政议政的方式和渠道有待进一步拓宽;二是在财产权益方面,一些企事业单位和一些农村在土地承包经营和集体经济组织收益分配方面存在着男女不平等现象;三是在劳动和社会保障权益方面,一些用人单位在招聘工作中限定性别,限制了妇女的就业机会;四是在人身权利方面,拐卖妇女,强迫、引诱、利用妇女进行淫秽活动以及选择性别地人工终止妊娠、对妇女的性骚扰等现象时有发生;五是在婚姻家庭权益方面,随着新修正的《婚姻法》的实施,妇女虽然获得了进一步的法律保障,但对妇女实施家庭暴力的现象仍未得到有效遏制。解决上述问题,也是本法的立法目的之一。

第二条 妇女在政治的、经济的、文化的、社会的和家庭的生活等各方面享有同男子平等的权利。

实行男女平等是国家的基本国策。国家采取必要措施,逐步完善保障妇女权益的各项制度,消除对妇女的一切形式的歧视。

国家保护妇女依法享有的特殊权益。

禁止歧视、虐待、遗弃、残害妇女。

【释义】 本条是关于男女平等宪法原则的规定,对妇女地位的规定和国家的基本政策的规定。

宪法原则是最高的原则,本条第一款就是再次重申宪法关于男女平等的原则。我国《宪法》第 48 条规定:“中华人民共和国妇女在政治的、经济的、文化的、社会的和家庭的生活等各方面享有同男子平等的权利。”

本条第2款规定了实行男女平等是国家的基本国策。长期以来,我国在坚持男女平等方面作出了不懈努力,取得了长足进步。我国政府在1995年联合国第四次世界妇女大会上郑重承诺:“把男女平等作为促进我国社会发展的一项基本国策。”为了更好地贯彻宪法精神,有必要把男女平等基本国策用法律的形式固定下来。因此,修正案增加了上述规定。把实行男女平等作为我国的一项基本国策,使其能够长期坚持下去有其深刻的必要性。修改前的本法对贯彻男女平等,推动妇女充分参与经济和社会发展,使男女平等在政治、经济、文化、社会和家庭生活等领域进一步得到实现,发挥了积极的作用。但是男女两性社会地位的总体差距和分层差距仍然存在。主要表现在:女性就业率较低,再就业困难;男女两性收入差距成扩大趋势;农村女性受教育水平与男性差距较大;妇女参与国家与社会事务决策的程度仍然偏低等。法律是现代社会最重要的社会控制手段,妇女权益的保障问题在很大程度上可以通过立法、严格执行法律的手段得以缓解。因此,为减少和彻底杜绝男女不平等的现象,我国用法律条文的形式明确了实行男女平等的基本国策,用法律的强制力要求在政治的、经济的、文化的、社会的和家庭的生活等各方面、各层次上落实男女平等这一制度。

国家可以采取的适当措施主要包括:

(一)各级政府及所属相关部门通过制定、实施有关行政法规、政策措施,协调处理妇女保障问题。制定保障妇女儿童权益的目标任务和策略措施,纳入各省经济和社会发展计划,同时将各项目标纵向按行政区划分级分解,横向按成员单位职能分解,实行目标责任制;运用政府行为组织协调对既定目标的落实,根据权益保障需要制定相关政策和行政干预措施;建立有效的监测评估体系进行检查督促和监测评估,根据评审结果确定新一轮目标。这一机制体现了国家行政系统对妇女各项合法权利的实现发挥着主导作用。

（二）司法保护系统的司法保障机制。主体是各级公检法司机关。公安机关建立家庭暴力投诉受理机构，直接参与预防和制止家庭暴力、保护受害妇女儿童；司法部门与妇联组织合作建立妇女法律援助和法律服务机构，办公地点设在妇联；法院与妇联组织联合建立“妇女维权合议庭”和妇联干部特邀陪审员队伍，直接参与司法审判，维护妇女儿童合法权益。公检法司各部门间分工负责、互相配合、互相制约，保护妇女儿童合法权益，保证法律的有效执行。

（三）国家权力机关的立法、执法监督和政协民主监督机制。主体是各级人民代表大会及其常委会和各级政治协商委员会。主要职能是对各相关部门维护妇女权益、打击对妇女实施侵害的各种社会丑恶势力的情况和效果进行执法监督，这可以由各级人大牵头的妇女法执法检查组和各级政协牵头的妇女儿童权益视察组进行。这一机制在保障妇女儿童权益方面具有源头的宏观维护和权威的监督保障作用。

（四）群众团体维权服务体系和民主监督机制。工会、妇联和有关民间组织根据各自的职责开展妇女权益维护工作，发挥民主参与的优势，协助党委、政府和有关部门实施保障妇女权益的法律和方针政策，利用民主监督的权利对法律实施情况进行监督。这样在相关法律政策中对妇女权益保障机构和工作机制作出明确规定，有助于完善对妇女权益的保障。

虐待、遗弃、残害妇女的行为主要侵犯了妇女的人身权。根据我国《宪法》和《民法通则》的有关规定，公民的人身权利是指与公民个人的人身密切相关的权利，包括人身自由权、人格尊严权、生命健康权、肖像权、名誉权、荣誉权等，是公民最基本的权利之一。就妇女这一特殊群体而言，妇女的人身权与妇女所享有的其他权利(如社会政治权利、文化教育权利、劳动权利、财产权利、婚姻家庭权利)相比,是作为社会关系主体赖以生存和发展的基础,是妇女最基本的人权。“虐待”是指对妇女以打骂、捆绑、冻饿、有病不给医治、强迫超体力劳作、限制自由等方式,从肉体或精神上摧残、折磨,情节恶劣的行为。“遗弃”是指对年老、年幼、患病或者其他没有独立生活能力的女性,负有扶养义务而拒绝扶养,情节恶劣的行为。“残害”是指通过肉体上的伤害对妇女进行折磨的行为。这些行为不仅是《妇女权益保障法》严格禁止的行为,也是我国《刑法》规定的可以利用国家强制力禁止的行为。

第三条　国务院制定中国妇女发展纲要,并将其纳入国民经济和社会发展规划。

县级以上地方各级人民政府根据中国妇女发展纲要制定本行政区域的妇女发展规划,并将其纳入国民经济和社会发展计划。

【释义】 本条是关于县以上各级人民政府对妇女发展职责的规定。

制定中国妇女发展纲要和地方妇女发展规划作为国务院和地方各级人民政府的一项法定义务,有利于保证政府通过制定和实施妇女纲要,实现法律赋予妇女的各项权利。

在我国,对妇女发展的规划是通过《妇女权益保障法》直接的规定作为依据的。通过行政规划增进妇女的发展,保障妇女权益,改善妇女生活以及提高妇女在社会中的地位成为我国政府的责任和义务。国务院作为最高国家行政机关,制定中国妇女发展纲要,是国务院的职责所在,而将其纳入国民经济和社会发展规划更体现我国对保障妇女权益的重视。它不仅对我国政府部门内部有明确的方针指导和提示意义,而且在普通民众间也发挥着重要作用。它使人们意识到国民经济和社会发展规划具有引导功能,将其看作行政立法和保障妇女权益行政行为的依据,对广大群众来说有很重要的意义。我国一般地方行政机关通常分为三个等级：省、直辖市人民政府；县、县级市及市（指下设区、县的市）辖区人民政府；乡、镇人民政府。地方各级人民政府从属于上一级国家行政机关，对上一级国家行政机关负责和报告工作，并接受国务院的统一领导。所以规定县级以上地方各级人民政府根据国务院制定的中国妇女发展纲要，制定本行政区域的妇女发展规划，并将其纳入国民经济和社会发展计划。

国务院于1995年制定并颁布了《中国妇女发展纲要（1995—2000年）》，这是我国促进妇女发展的第一个国家纲要。2001年5月，国务院又颁布了《中国妇女发展纲要（2001—2010年）》，提出了新世纪第一个十年妇女发展的主要目标和政策措施。与此同时，有关部门和社会团体根据国家纲要制定了本部门和本单位的实施方案，各省、自治区、直辖市以及大多数地（市）、县（市）都制定了本地区妇女发展规划，基本形成了国家纲要、地方发展规划和有关部门实施方案相结合、全国性目标与地方性目标相结合、终期目标与阶段性目标相结合的推动妇女发展的目标体系。

第四条　保障妇女的合法权益是全社会的共同责任。国家机关、社会团体、企业事业单位、城乡基层群众性自治组织，应当依照本法和有关法律的规定，保障妇女的权益。

国家采取有效措施，为妇女依法行使权利提供必要的条件。

【释义】　本条是对妇女权益保障工作实施主体的规定。

为了保障妇女的合法权益，促进男女平等，国家机关、社会团体、企业事业单位、城乡基层群众性自治组织和其他组织均应遵守和依照本法和有关法律的规定，依照男女平等原则，保护妇女特殊权益，逐步建立和完善对妇女的社会保障制度，禁止歧视、虐待、残害妇女，采取各种有效措施，积极保障和维护妇女的合法权益，切实做出保障妇女权益的各种举措。各级政府、各有关部门和社会团体要进一步提高思想认识，在决策和工作中切实做到男女平等，维护妇女权益。要认真贯彻执行有关法律法规，依法行政，努力消除对妇女的一切形式的歧视。在此过程中，各级人民政府应加强对本行政区内妇女权益保障工作的领导，为保障妇女权益提供必要的条件。

各级人民政府的妇女权益保障机构应负责指导和协调有关部门做好妇女权益的保障工作；各级人民政府及其有关部门在制定涉及妇女权益的重大计划和政策措施时，应当征求同级妇联的意见；各级妇联代表和维护妇女的利益，对于侵害妇女权益的行为，有权要求有关部门查处，有关部门应当及时受理、依法查处；工会、共产主义青年团应当在各自的工作范围内，做好保障妇女权益的工作，维护妇女的合法权益；各企业事业单位在制定管理制度或者研究涉及女职工的劳动保护、生活福利、社会保险等事项时，应当听取本单位工会或女职工委员会、妇女工作委员会的意见，不得歧视妇女、采取不平等对待女职工的行为；任何单位和个人都可以制止、检举、控告侵害妇女权益行为；对有关侵害妇女权益的检举、控告和申诉，有关部门必须查清事实，认真处理。在全社会通过宣传法制，采取多种形式的有效手段，对广大妇女进行宣传教育活动，加大法制宣传的力度，不断提高广大妇女的法律意识和自我保护意识，使她们学懂本法和了解更多的法律知识，切实提高维权意识，懂得运用法律武器维护自身的合法权益。

国家需要在妇女的政治地位、劳动就业、文化教育、婚姻家庭等领域采取措施，提供必要的条件对女性进行必要的保护，通过运用法制和行政手段努力创造和优化男女平等的社会环境，为妇女平等参与社会发展创造前提条件，建立健全诸如社会保险、生育统筹、社会救济、社会福利、社会互助和社会优抚安置等社会保障机制，减轻妇女的负担。

第五条　国家鼓励妇女自尊、自信、自立、自强，运用法律维护自身合法权益。

妇女应当遵守国家法律，尊重社会公德，履行法律所规定的义务。

【释义】　本条是对妇女义务的主要规定。

随着社会的发展，女性逐渐成为与男性平等的主体，女性已经开始要求与男性平等，而自尊、自信、自立、自强更是现代妇女对自己的要求，这样可以使他们摆脱对男性的依赖。自尊是指女性要尊重自己，不要向别人卑躬屈膝，也不容别人的歧视；自信就是要相信自己的能力和实力；自立就是不依靠别人靠自己的劳动和能力生活；自强就是自己努力向上，不断地提高自己各方面的水平。国家鼓励妇女自尊、自信、自立、自强，不仅需要妇女本身通过提高自身素质，加强自身素质的培养，同时也需要国家创造良好的社会环境。培育妇女正确的社会价值观和崇高的精神境界是构建和谐社会的思想和精神基础，对于营造诚信友爱、安定有序的和谐社会环境有重要意义，这就需要国家利用多种手段，通过多种途径，大力满足妇女精神文化需求，弘扬文明风尚，鼓励和引导广大妇女崇尚科学、文明、健康的生活方式，美化生活环境，弘扬家庭美德。要调查研究妇女权益保护中带有倾向性、苗头性的深层次问题，主动合理建议，推动保障妇女儿童合法权益的法律、法规、政策体系的完善，协调社会力量构建各个层面的妇女维权机制；加大普法宣传和依法维权工作的力度；要在加强对妇女普法宣传教育，提高妇女依法维权能力的同时，认真接待来信来访，配合有关部门加大对侵害妇女儿童权益案件的督办力度，切实维护好妇女特别是流动妇女、老龄妇女等弱势妇女群体的合法权益。

当妇女依法享有的权利和利益遭受不法侵害或发生争议时，可以通过以下途径加以解决：一是由行政机关按行政程序保护妇女权益；二是由人民法院按诉讼程序保护妇女权益；三是向妇女组织或者其他非行政机关和司法机关的组织投诉而寻求救济的途径，如通过人民调解委员会调解解决；四是碰到特殊问题就须向有关具体主管部门申请解决，如妇女在入学、升学、毕业分配、就业、分配住房、评定专业技术职务等方面遭受不平等对待，或因结婚、怀孕、产假、哺乳情形遭到辞退时，受害妇女可以向所在单位的上级部门或者人民政府有关部门申请解决，有关部门应当在充分了解事实的情况下，依法予以解决；五是向乡镇基层人民政府申请处理和解决。《人民调解委员会组织条例》第 9 条规定："经过人民调解委员会的调解，当事人未达成协议或者达成协议后反悔的，任何一方可以请求基层人民政府处理，也可以向人民法院起诉。"同时《地方各级人民代表大会和地方各级人民政府组织法》第 52 条规定："管理本行政区域内的司法行政工作及保护公民私人所有的合法财产，维护社会秩序，保障公民的人身权利、民主权利和其他权利，保障宪法和法律赋予妇女的男女平等、同工同酬和婚姻自由等各项权利，是乡镇基层人民政府的职权和责任。"依据上述法律规定，当妇女的上述权利遭受不法侵害产生纠纷时，妇女可以向乡镇基层人民政府申请处理和解决。

妇女应当遵守国家法律，这是国家法律对每个公民的要求，也是每一个公民所应尽的义务。尊重社会公德，更是妇女道德素质提高的具体表现。在当前大力营造和谐社会的过程中，更需要妇女撑起半边天，为国家进步和繁荣做出应有的贡献。

第六条　各级人民政府应当重视和加强妇女权益的保障工作。

县级以上人民政府负责妇女儿童工作的机构，负责组织、协调、指导、督促有关部门做好妇女权益的保障工作。

县级以上人民政府有关部门在各自的职责范围内做好妇女权益的保障工作。

【释义】 本条是对政府部门保障妇女权益工作职责的规定。

修改前的《妇女权益保障法》的突出问题之一就是妇女保障的执法主体不够明确,影响了该法的实施。为解决这一问题,修改后的《妇女权益保障法》从多方面进一步明确和强化了负责妇女儿童工作的机构和各级人民政府有关部门的责任。

《妇女权益保障法》调整的范围较广,其法律责任涵盖了民事责任、行政责任和刑事责任,因此涉及的执法机构众多,既有公、检、法等司法机关,又有劳动、卫生、教育、民政等行政部门,容易发生在执法中出现相互扯皮和推诿的现象。为明确执法主体,统一行使执法权,将法律责任落实到实处,明确执法主体是很有必要的。

我国各级人民政府需加强对其行政区域内妇女权益保障工作的领导,为保障妇女权益提供必要的工作条件。各级人民政府需要将妇女事业纳入国民经济和社会发展计划,统筹规划,协调发展。各级人民政府的妇女儿童权益保障机构负责指导和协调有关部门做好妇女权益的保障工作。为更好地保障妇女儿童权益,国务院于1990年成立了妇女儿童工作委员会(以下简称妇儿工委),由国务院领导同志任主任,下设办公室,配备专职人员负责组织、协调、指导、督促有关部门做好妇女权益保障的日常工作。各级政府也设立妇儿工委。乡(镇)人民政府、街道办事处也确定人员负责妇女权益保障工作。同时,妇儿工委的经费列入同级人民政府财政预算。

各级政府的妇儿工委要建立有效机制协调处理妇女儿童的重大问题,促进妇女儿童的发展,这一机制主要有三个环节:(1)制定保障妇女儿童权益的目标任务和策略措施,纳入本行政区域经济和社会发展计划,同时将各项目标纵向按行政区划分级分解,横向按成员单位职能分解,实行目标责任制;(2)运用政府行为组织协调对既定目标的落实,根据权益保障需要制定相关政策和行政干预措施;(3)建立有效的监测评估体系进行检查督促和监测评估,根据评审结果确定新一轮目标。这一机制体现了国家行政系统对妇女各项合法权利的实现发挥着主导作用。

妇儿工委的主要职责包括:(1)宣传有关保障妇女权益的法律、法规;(2)监督检查有关保障妇女权益的法律、法规的贯彻实施;(3)调查研究有关保障妇女权益的重大事项,向人民政府或有关部门提出意见和建议;(4)接受群众对侵害妇女权益行为的投诉、举报,交有关部门查处,为受害妇女提供法律帮助;(5)督促有关部门查处严重侵害妇女权益的行为,必要时组织调查,提出查处意见;(6)总结推广保障妇女权益工作的先进经验,表彰、奖励在保障妇女权益工作中作出显著成绩的单位和个人;(7)办理其他有关妇女权益保障方面的事项。各级妇儿工委应积极发挥议事协调作用,在当地党委和政府的统一领导下,以促进妇女儿童事业发展为主题,以维护妇女儿童合法权益为重点,切实发挥协调议事的职能。要重点围绕妇女儿童发展亟待解决的突出问题和实施妇女儿童发展纲要的难点问题,争取必要的资金和政策倾斜,善于运用法律、行政、宣传和社会等多种手段推动妇女儿童工作。妇儿工委各成员单位要以实施两纲的职责进行分工和以具体目标责任制定具体的政策措施,积极开展工作,切实履行职责,发挥职能优势,在提高妇女参政议政比例、提高妇女儿童科学文化素质,促进妇幼保健事业发展,维护妇女儿童合法权益,优化妇女儿童生存发展环境方面发挥积极作用。各地还应建立各类联席会议制度、法律援助中心、家庭纠纷调解站、信访接待中心等维护妇女权益的工作网络和服务组织。

县级以上人民政府及所属有关部门在各自的职责范围内通过制定、实施有关行政法规、政策措施做好妇女权益的保障工作,各级人民政府有关部门尤其要增强协同意识,提高协同能力,做好参与协同的工作,积极参与社会建设和管理。要把为妇女提供更加有效的服务作为重点，在妇女教育培训、创业就业指导、妇女儿童权益保障、对妇女儿童弱势群体的扶贫助困等重点领域积极开展协同工作。同时还要适应加强社会建设的新要求，拓展保障领域，加大外引内联力度，积极承办妇女儿童服务项目，更好地服务妇女儿童，推进妇女事业，扩大妇女影响力。要正确反映和表达妇女群众的合理诉求，妥善处理妇女群众中存在的矛盾，实现好、维护好、发展好妇女儿童的切身利益，巩固、维持社会的稳定。建立社会化维权协调机制，继续实施妇女权益法律援助、妇女儿童权益联席会议制度，加强社区法律服务志愿者等队伍建设，积极参与调处社会矛盾，协调有关部门解决侵害妇女儿童权益的重大案件，促进维护妇女权益的地方性法规的出台。尝试建立妇女维权工作预警网络，建立社会化维权信息员队伍，增强维权工作的预见性和有效性。完善妇女维权宣传机制，不断创新普法宣传载体，扩大普法宣传影响，增强全社会维护妇女儿童合法权益的意识，提高广大妇女依法维护自身权益的能力和水平。健全扶贫帮困机制，继续集中社会资金，建立专项工作基金，切实帮助妇女困难群体解决生产生活中的实际问题。配合女职工委员会，大力推动建立女职工权益平等协商制度。

第七条　中华全国妇女联合会和地方各级妇女联合会依照法律和中华全国妇女联合会章程，代表和维护各族各界妇女的利益，做好维护妇女权益的工作。

工会、共产主义青年团，应当在各自的工作范围内，做好维护妇女权益的工作。

【释义】　本条是对妇联、工会和共青团等社会团体工作职责的规定。

中华妇女联合会是妇女为争取妇女解放而联合起来的女性社会团体，是代表和维护妇女权益的女性社会组织。本法明确了其维护妇女合法权益的法律地位，明确妇联组织参与、监督妇女法执行的法律地位、责任、权利和义务，使妇联代表和维护妇女权益的工作具有法律保障，使代表妇女维护自己合法权益并推动妇女权益维护的工作能够得到有效实施。

妇联组织是协助政府做好妇女权益保障工作的重要社会力量。本法修改后在总结经验的基础上，明确了各级妇联组织在保障妇女权益工作中的权利和义务，同时规定了在制定法律或者法规、规章和公共政策，对涉及妇女权益的重大问题时，应当听取妇联组织的意见。全国妇联和地方各级妇联在代表妇女积极参与国家和社会事务，进行民主决策、民主管理和民主监督时会发挥更大的作用。

各级妇联组织可以充分开发自身的服务功能、联系功能和宣传功能，更好地引导和帮助广大妇女在经济建设和社会发展的实践中创造新业绩、创造新生活。各级妇联要认真履行职责，充分发挥民主参与和民主监督作用，维护妇女权益，立足于促进社会公平、推进民主法制建设。各级妇联要进一步探索维护权益、协调关系、化解矛盾、促进稳定的有效途径，在构建和谐社会进程中，努力实现、维护和发展妇女的切身利益，同时要积极探索妇女利益表达的途径，畅通妇女利益表达渠道，强化妇联组织在妇女利益表达沟通、疏导化解等方面的功能，认真做好教育引导、提供服务、反映诉求、规范行为的工作，引导妇女合理表达利益需求，自觉维护安定团结。

工会、共产主义青年团等社会团体根据各自的章程开展妇女权益维护工作，发挥民主参与的优势，协助党委、政府和有关部门实施保障妇女权益的法律和方针政策，利用民主监督的权利对法律实施情况进行监督。这些方式主要有：(1)由女职工代表选举产生各级工会女职工委员会。作为工会系统代表维护女职工合法权益和特殊权益的专门组织，这一机构通过参与基层单位工会委员会、职代会、监事会、集体合同谈判和开展维权专项活动，代表女职工的意愿，履行对女职工劳动保护、特殊权益的争取、维护、监督和服务，实施对企事业单位的民主管理。(2)建立各种维护妇女儿童权益的志愿者协会，主要为维护妇女儿童权益提供各种志愿服务。(3)帮助建立各种群众性的维权监督组织，如基层工会设立的家庭暴力监督员队伍，劳动部门与工会、妇联联建的劳动监督员队伍等。

第八条　对保障妇女合法权益成绩显著的组织和个人，各级人民政府和有关部门给予表彰和奖励。

【释义】　本条是关于奖励的规定。

对在保障妇女合法权益工作中做出突出贡献的组织和个人进行表彰和奖励，是本法确立的一项重要制度。国家通过奖励行为与惩罚行为并举实施，共同成为保障妇女合法权益的有效手段。实施表彰和奖励的目的在于，激励社会组织和公民积极参与保障妇女合法权益，促进男女平等原则的贯彻。

国家奖励，是指各级人民政府和有关部门为了表彰先进、激励后进、充分调动人们的积极性和创造性，依照法定条件和程序，对国家和社会做出突出贡献的或模范地遵纪守法的组织、个人给予物质的或者精神的奖励的一种具体行政行为。

实施奖励的主体是国家的行政机关或者法律法规授权的组织。国家行政机关是行政奖励的当然主体，各级人民政府、各级行政主管部门，在实施国家行政管理的过程中，有权对符合条件的对象给予行政奖励；法律、法规授权的组织，在授权范围内有权对符合条件的对象给予鼓励。实施奖励的主体，除上述机构外，还可以是有关的社会团体或其他社会组织。但其奖励行为不属于行政奖励范畴。

进行表彰和奖励的对象，应当是在保障妇女合法权益工作中做出突出贡献的组织和个人。所谓“突出贡献”一般是指做出大家公认的显著成绩或者在某一方面做出突出行为。其范围相当广泛，国家行政机关及其工作人员、普通公民、企事业单位、社会团体等，都可以成为其对象。外国组织或者个人在我国做出了显著贡献，同样可以成为行政奖励的对象。

行政奖励的形式多种多样，主要有以下三方面的形式：(1)赋予精神方面的权益，即给予受奖人某种荣誉，如授予称号，通报表扬，通令嘉奖，记功，发给奖状、荣誉证书、奖章等。(2)赋予物质方面的权益，即发给奖金或各种奖品。(3)赋予职权方面的权益，即对受奖人予以晋级或晋职。表彰主要是精神鼓励；奖励既可以是精神奖励，也可以是物质奖励，以精神奖励为主，以物质奖励为辅。

国家在对保障妇女合法权益成绩显著的组织和个人给予表彰和奖励的过程中需要注意以下一些原则：(1)依法奖励、实事求是的原则。国家的奖励是一种法定行为，任何法定的奖励都必须坚持法定的标准和条件，实事求是地进行。因为此项奖励的目的是激励社会组织和公民积极参与保障妇女合法权益，促进男女平等原则的贯彻，若脱离法定标准和条件，由领导个人意志任意决定，势必影响奖励行为目的的实现。(2)奖励与受奖行为相当原则。表彰和奖励的具体标准和等级，应当按照国家和地方的有关规定，并结合受表彰和奖励的对象在妇女权益保障工作中做出贡献的具体情况掌握和执行。这样使奖励的等级与贡献的大小相适应，做到论功行赏，合理适度。(3)精神奖励和物质奖励相结合的原则。精神奖励与物质奖励可以分开独立实施，也可以合并实施。在我国现阶段不仅要贯彻二者相结合的原则，而且更应强调在精神奖励为主的同时也一定要以物质奖励为辅，这样更能调动全民的积极性。(4)公正、合理、民主、平等的原则。作为调动广大人民群众保护妇女合法权益的积极性和创造性的重要方式，奖励必须以实际功绩和贡献作为唯一的依据,必须有一套体现民主、公正和平等的评奖机制。公正、平等的原则首先要求做到机会均等,按照法定的程序实施奖励,凡符合法定条件者,人人都有平等受奖励的权利。公正、平等的原则,还要求论功行赏,对成绩突出、贡献巨大的,应予以重奖,这也是奖励和受奖行为相当原则的要求。此外,还要求行政奖励的程序民主公开,以确保行政奖励的有效监督,保证行政奖励的公正、平等,最大限度地发挥奖励行为的作用。(5)及时性原则。既然是对保障妇女合法权益成绩显著的组织和个人进行奖励,就必须及时地对符合条件者给予奖励,以表明国家对其行为的认可,这样有助于社会的大力宣传和工作经验的及时推广,有利于妇女合法权益的保护。

第二章 政治权利

第九条 国家保障妇女享有与男子平等的政治权利。

【释义】 本条是关于国家保障在政治权利方面男女平等的规定。

男女平等是宪法保障公民的一项基本权利,也是我国奉行的一项基本国策。男女平等的内涵非常丰富,根据《宪法》第 48 条的规定,它包括男女在政治的、经济的、文化的、社会的和家庭的生活等各方面的平等,其中,政治权利的平等是男女平等最重要的内容。所谓政治权利是公民依法享有的参与国家政治生活,管理国家事务,管理经济和文化事业,管理社会事务以及在政治上表达个人意见和见解的权利。具体来说,我国公民政治权利可以包括以下内容:(1)选举权和被选举权;(2)享有言论、出版、集会、结社、游行、示威自由的权利;(3)担任国家机关职务的权利;(4)担任企业、事业单位和人民团体领导职务的权利;(5)对国家机关和国家工作人员的监督权利,包括对其选举的国家工作人员的罢免权以及对国家机关和国家工作人员的批评和建议权;(6)对国家政治生活信息的知情权。

妇女政治权利的保障程度是一个国家文明进步的重要标志,是衡量男女平等程度最重要的标准。在历史上,长期以来占人口一半的妇女被排除在政治生活之外,政治只是男人的事务,妇女没有选举权,更没有被选举权。经过广大妇女不懈的努力,20 世纪初,西方多数国家的妇女获得了选举权和被选举权,积极参与国家的政治生活。20 世纪 70 年代以来,妇女在争取获得平等的决策权和平等地执行公务的权利和机会方面取得了长足的进步，妇女以空前的规模和速度涌入政治领域，世界政坛先后涌现出30多位女性国家首脑，而女部长、女议员、女州长、女市长等高级领导人则更多，一些国家的国会或者内阁中女性成员比例已超过30%，如北欧国家议会中女议员所占比例已超过30%，在挪威和瑞典，内阁中女性比例已超过30%。1995年第四次世界妇女大会之后，各国都加大了用法律保障女性参政的力度，一些国家修订了宪法，进一步明确地将候选人男女比例纳入宪法或其他有关法律条文。如法国通过了平权法，规定市政府官员中一半的候选人必须是女性；比利时也规定候选人中女性要达到1/3。其他国家如乌干达、意大利、委内瑞拉、也门、秘鲁和阿尔巴尼亚等也先后制定相关的法律，为进一步促进女性参政提供了保障。可以说，妇女获得与男子平等的选举权和被选择权，积极参与政治生活，是20世纪人类文明进步最为突出的成就之一。

辛亥革命以来，我国的广大妇女为争取政治上的民主和自由，进行了不屈不挠的斗争。在辛亥革命中，许多妇女投身于反帝反封建的革命洪流，为争取妇女解放、提高妇女的政治地位进行了顽强的斗争。中国共产党成立后，明确提出要“废除一切束缚女子的法律，女子在政治上、经济上、社会上、教育上，一律享受平等权利”。新中国成立后，开始了男女平等的新时代，妇女和男子享有平等的权利被写进了宪法，妇女在政治上的平等地位得以确立。国家采取了各项措施，实现了妇女政治权利跨越式的发展，成为参政程度比较高的国家之一。妇女在历届全国人大代表、政协委员中占有重要和相对稳定的比例，第十届全国人大女代表比例为20.24%；第十届全国政协女委员比例为16.7%。地方各级人大女代表、政协女委员的比例也有提高。党的十六大女代表比例为18.1%，中央委员（含候补委员）女性占7.6%。女干部队伍不断壮大，整体结构有了新的改善。目前国务院29个部委中，女部级干部22人,31个省区市各级党政领导班子中,有5000多名女领导干部。中共中央政治局委员中有1名女性。国务委员中有1名女性。这些数字表明,在我国真正实现了妇女享有与男子平等的政治权利,妇女广泛参与了国家的政治生活和社会管理,妇女在政治生活中的作用越来越重要。但是,这些成就与妇女"半边天"的作用和广大妇女的要求还不相称。因此,制定本法,重申了国家保障妇女享有与男子平等的政治权利,并在其他条文中规定了保障男女政治权利平等的具体措施。

第十条　妇女有权通过各种途径和形式,管理国家事务,管理经济和文化事业,管理社会事务。

制定法律、法规、规章和公共政策,对涉及妇女权益的重大问题,应当听取妇女联合会的意见。

妇女和妇女组织有权向各级国家机关提出妇女权益保障方面的意见和建议。

【释义】　本条是关于妇女实现政治权利的范围和形式的规定。

本条第1款规定妇女政治权利的范围包括管理国家事务,管理经济和文化事业,管理社会事务等四项。这个规定的内涵非常丰富,相当于妇女政治权利内容的一个总的规定,本章其他关于妇女权益的规定都是对这四项内容的具体化。为了实现对国家事务、经济和文化事业以及社会事务的管理,本条规定妇女有权通过各种途径和形式。这些途径和形式多种多样,有直接的,也有间接的。直接的如通过参加选举或者考试,成为人大代表或者国家公务员,直接参与管理国家和社会事务;间接的如通过行使选举权,选举出代表自己利益的代表来实现对国家事务和社会事务的管理;或者通过行使结社权,成立妇女组织,代表自己来行使参与国家和社会事务的管理;通过向国家机关提出意见和建议,也是间接的管理国家和社会事务的形式之一。无论哪种途径和形式，只要能够实现妇女的政治权利，在不违法的情况下，都是可以的。

中华全国妇女联合会是全国各族各界妇女在中国共产党领导下为争取进一步妇女解放而联合起来的社会群众团体，是党和政府联系妇女群众的桥梁和纽带，是国家政权的重要社会支柱。根据《中华全国妇女联合会章程》的规定，妇女联合会的基本职能是代表和维护妇女权益，促进男女平等，其任务是代表妇女参与国家和社会事务的民主决策、民主管理、民主监督，参与有关妇女儿童法律、法规、规章和政策的制定。总之，妇女联合会是广大妇女利益的代言人。因此，国家机关在制定法律、法规、规章和公共政策时，对涉及妇女权益的重大问题，应当听取妇女联合会的意见。

本条第 3 款是妇女享有宪法规定的公民对国家机关的建议权的具体体现，也是妇女作为公民享有的政治权利的具体内容之一。我国《宪法》第 41 条规定，中华人民共和国公民对于任何国家机关和国家工作人员，有提出批评和建议的权利。广大妇女作为中华人民共和国公民，当然有权向各级国家机关提出各种意见和建议，其中也包括妇女权益保障方面的意见和建议。不仅妇女本人，妇女联合会、工会组织中的女职工委员会等妇女组织作为代表和维护妇女利益的组织，也有权向各级国家机关提出妇女权益保障方面的意见和建议。根据本法第 14 条的规定，对于有关保障妇女权益的批评或者合理建议，有关部门应当听取和采纳。

第十一条　妇女享有与男子平等的选举权和被选举权。

全国人民代表大会和地方各级人民代表大会的代表中，应当有适当数量的妇女代表。国家采取措施，逐步提高全国人民代表大会和地方各级人民代表大会的妇女代表的比例。

居民委员会、村民委员会成员中，妇女应当有适当的名额。

【释义】　本条是关于妇女参政权的规定。

一、选举权和被选举权的男女平等

选举权和被选举权是最重要的政治权利，是否拥有选举权和被选举权，是能否参与政治生活的首要条件。历史上，妇女的解放运动的主要目标之一就是取得选举权，为此广大妇女进行了不懈的努力。妇女获得选举权和被选举权标志着妇女运动取得了很大进展，也为妇女走向政治舞台奠定了基础。中国妇女从1949年中华人民共和国成立起就获得了普遍的选举权和被选举权，《宪法》第48条明确规定妇女在政治的、经济的、文化的、社会的和家庭的生活等各方面享有同男子平等的权利，确定了男女平等的宪法原则。男女平等首先就是政治上的平等，主要体现在妇女享有与男子平等的选举权和被选举权。《全国人民代表大会和地方各级人民代表大会选举法》第3条明确规定："中华人民共和国年满十八周岁的公民，不分民族、种族、性别、职业、家庭出身、宗教信仰、教育程度、财产状况和居住期限，都有选举权和被选举权。"进一步体现了男女享有平等的选举权和被选举权。目前，无论是法律制度上还是具体实践中，男女享有平等的选举权和被选举权都是有保障的。

二、人大代表中妇女代表的比例

人民代表大会制度是我国的根本政治制度，是人民行使政治权利的主要形式。广大妇女可以通过行使选举权，选举代表自己利益的人大代表来间接行使管理国家的权利，也可以被选举为人大代表，直接行使管理国家的权利。妇女通过当选人大代表来直接行使管理国家的权利，是保障妇女政治权利的重要体现。全国人民代表大会和地方各级人民代表大会中，妇女代表一直占有稳定的数量。为了保证各级人民代表大会妇女代表的数量，使妇女直接参与国家管理，《全国人民代表大会和地方各级人民代表大会选举法》第6条规定："全国人民代表大会和地方各级人民代表大会的代表中，应当有适当数量的妇女代表，并逐步提高妇女代表的比例。”但是，实践中人民代表大会女性代表的比例在近20年来增长速度相当缓慢。从全国人大代表来看，从1979年第五届全国人大到1993年第八届全国人大，一直徘徊在20%～21%，一直到1998年才增长到21.8%，十届人大代表中女性代表比例又下降到20.2%，比九届降低了1.57%。全国人大常委会女性常委委员比例在1975年达到新中国成立以来的最高值25.1%，80年代以后长期在14%以下徘徊，目前我国的全国人大常委会女性常委委员比例在13%左右，反映了妇女在全国人大高层决策中的代表性不足。从地方各级人大代表中女性代表的比例数据看，在地市及县乡各级，一些地方女性代表比例呈现下降趋势：如山东省17个市中有9个市和部分省的人大代表中女性代表近年有不同程度的下降；山西省一些县、乡人大代表中女性代表不足10%。地方各级人大代表中女性代表的比例还呈现出级别越高，女性代表比例越低的趋势。如1998年宁夏回族自治区县及县以上女性人大代表占代表总数的19%，其中，县级人大女性代表占同级代表总数的19.7%，市级人大女性代表占同级代表总数的17.8%，省级人大女性代表占省级人大代表总数的16.8%。近年来各国议会都在改善女性参政的状况，我国却相对滞后。根据各国议会联盟的统计表明，我国人大代表中女性代表比例已经从1994年的第12位降到第28位。这次修改《妇女权益保障法》，提高妇女代表的比例是大家一个热点问题。有的意见认为，虽然选举法和原妇女权益保障法都规定了各级人民代表大会的代表中，应当有适当数量的妇女代表，并逐步提高妇女代表的比例，但由于缺乏保障性、程序性的规定，实践中妇女的参政权利难以得到保障。因此，有的同志建议应当明确规定各级人大代表中妇女代表的比例，如20%至30%，或者不得少于1/3。也有的同志认为不宜对妇女代表或者代表候选人比例作硬性规定，因为人大代表选举制度是选举法规定的，如果本法要求规定妇女代表比例或者地方候选人妇女代表比例，涉及选举法是否修改、如何修改的问题，需要进一步研究。并且代表是由选举产生的，硬性规定比例，如果做不到算不算违法？综合考虑上述意见，修正案虽然没有明确规定妇女代表或者代表候选人的比例，但是增加了“国家采取措施，逐步提高全国人民代表大会和地方各级人民代表大会的妇女代表的比例”这方面的内容，将提高妇女代表比例的重点落在“国家采取措施”上。

三、居民委员会、村民委员会成员中妇女的名额

《城市居民委员会组织法》第2条第1款规定：“居民委员会是居民自我管理、自我教育、自我服务的基层群众性自治组织。”《村民委员会组织法》第2条第1款规定：“村民委员会是村民自我管理、自我教育、自我服务的基层群众性自治组织，实行民主选举、民主决策、民主管理、民主监督。”从性质上看，居民委员会和村民委员会既不是国家政权机关，也不是政权机关的派出机关，而是基层群众性自治组织。妇女成为居民委员会、村民委员会成员，是妇女参与自我管理、自我教育、自我服务的形式，是妇女政治权利的重要内容之一。《城市居民委员会组织法》第8条规定：“居民委员会主任、副主任和委员，由本居住地区全体有选举权的居民或者由每户派代表选举产生；根据居民意见，也可以由每个居民小组选举代表二至三人选举产生。居民委员会每届任期三年，其成员可以连选连任。年满十八周岁的本居住地区居民，不分民族、种族、性别、职业、家庭出身、宗教信仰、教育程度、财产状况、居住期限，都有选举权和被选举权；但是，依照法律被剥夺政治权利的人除外。”《村民委员会组织法》第9条第2款规定：“村民委员会成员中，妇女应当有适当的名额，多民族村民居住的村应当有人数较少的民族的成员。”第11条第1款规定：“村民委员会主任、副主任和委员，由村民直接选举产生。任何组织或者个人不得指定、委派或者撤换村民委员会成员。”第12条规定：“年满十八周岁的村民，不分民族、种族、性别、职业、家庭出身、宗教信仰、教育程度、财

产状况、居住期限，都有选举权和被选举权；但是，依照法律被剥夺政治权利的人除外。”目前，村民委员会中妇女成员少，2003 年年底，全国村委会成员中妇女比例不足 20%，村委会主任中妇女比例只有 1%。因此，这次修改《妇女权益保障法》，有的意见提出要规定居民委员会和村民委员会成员中妇女成员的具体的比例，如至少 1/3 或者半数。有的意见认为，现在在居民委员会中，妇女成员占有较大比例，村民委员会中妇女比例少有现实客观原因，如农村税费改革后，村民委员会成员减少，硬性规定妇女成员要占多大比例不现实，并且《村民委员会组织法》的一个重要原则是村民自治，硬性规定妇女成员的比例不妥。考虑到与《城市居民委员会组织法》和《村民委员会组织法》的衔接，修正案没有规定具体的比例，只规定居民委员会、村民委员会成员中，妇女应当有适当的名额。

第十二条　国家积极培养和选拔女干部。

国家机关、社会团体、企业事业单位培养、选拔和任用干部，必须坚持男女平等的原则，并有适当数量的妇女担任领导成员。

国家重视培养和选拔少数民族女干部。

【释义】　本条是关于国家积极培养和选拔女干部和少数民族女干部的规定。

新中国成立后，国家一直十分重视培养和选拔女干部，宪法明确规定国家培养和选拔女干部，组织人事部门不断加强女干部的培养选拔工作，使妇女广泛参与国家和社会事务的管理，一大批优秀女性进入了各级领导班子。截至 2004 年年底，各级党委、人大、政府、政协、法院、检察院、民主党派、人民团体县（处）级和地（厅）级干部中女干部分别占同级干部总数的 16.9% 和 12.6%，比 1995 年增长了 4.3 和 4.5 个百分点；女正、副市长（专员、州长）共 368 人；省（部）级以上女干部占同级干部总数的 9.9%，比 1995 年增长 2.8 个百分点。目前，国务院副总理和国务委员中各有 1 位女性，最高人民法院、最高人民检察院以及国务院组成部门中有25位正副部长级女干部。2003年，全国新录用公务员的女性比例为27.8%，中央国家机关新录用公务员中的女性比例达到37.7%。此外，中国还重视少数民族女干部的培养，注重提高少数民族妇女的参政能力。但是，不可否认的是，当前各级领导干部中女干部比例仍偏低，且副职多、正职少。女性领导干部大多集中在科教文卫等政府部门和群众团体，在党政主干线和重要综合部门任职的很少。基层女干部比例下降，特别是农村的海选中，女干部进入村委会的比例明显减少，2003年年底，全国村民委员会中女性比例仍不足20%，村民委员会主任中女性比例只有1%。基层女干部的缺失，在一定程度上制约着中高层妇女参政的数量和质量。

2001年国务院发布的《中国妇女发展纲要》提出："扩大妇女民主参与的渠道，提高妇女参政议政的水平和比例。在同等条件下优先选拔女干部。""各级领导班子中，正职或重要岗位的女性数量要有较大的增加。区级各部门领导班子中至少有1名女干部。领导班子后备女干部的比例不低于后备干部总数的30%。""提高女性较集中的部门、行业管理层中的女性比例。教育、科技、文化、卫生、体育、计划生育、民政、司法、劳动和社会保障等部门领导班子中要首先配备女干部。"要实现纲要的目标，需要从法律、组织人事制度等方面具体落实。尽管各级党委和政府在推动妇女参政上做出了很大努力，从全国到各省区市都制定了妇女发展规划和培养选拔女干部工作规划，但各地落实的措施还没有到位，不同程度地影响了妇女参政的进程。为了提高妇女干部的比例，与原法的内容比较，本法在国家机关、社会团体、企业事业单位任用干部上，增加了"培养和选拔"环节坚持男女平等的原则，并增加规定"有适当数量的妇女"担任领导成员的内容，这样就进一步落实了国家积极培养和选拔女干部的政策。

第十三条　中华全国妇女联合会和地方各级妇女联合会代表妇女积极参与国家和社会事务的民主决策、民主管理和民主监督。

各级妇女联合会及其团体会员，可以向国家机关、社会团体、企业事业单位推荐女干部。

【释义】 本条是关于各级妇联代表妇女参与国家和社会事务以及各级妇联及其团体会员推荐女干部的规定。

中华全国妇女联合会和地方各级妇女联合会依照法律和《中华全国妇女联合会章程》，代表和维护各族各界妇女的利益。各级妇女联合会参与国家和社会事务的民主决策、民主管理和民主监督的主要方式有：

（1）推荐女性人大代表候选人。《全国人民代表大会和地方各级人民代表大会选举法》规定，全国和地方各级人民代表大会的代表候选人，按选区或者选举单位提名产生。各政党、各人民团体，可以联合或者单独推荐代表候选人。在推荐人大女代表人选时，各级妇女联合会可以发挥了解女性、了解女性先进典型、掌握女性人才的特殊优势，认真履行职能，配合有关部门促进女性参政。

（2）有关部门在制定法律或者法规、规章和公共政策过程中，对涉及妇女权益的重大问题，应当听取妇女联合会的意见。

（3）妇女和妇女组织有权向各级国家机关提出妇女权益保障方面的意见和建议。

（4）各级妇女联合会及其团体会员，可以向国家机关、社会团体、企业事业单位推荐女干部。

（5）坚持和完善以职工代表大会为基本形式的企业民主管理制度，保证企业职工代表大会中女性代表比例应与女职工比例相适应，发挥企业职工代表大会中女性代表的民主管理的作用。

本条第2款是关于妇联可以推荐女干部的规定。截止到

2000年年底，全国女干部人数已达1489.5万人，占干部总数的36.2%。全国党政机关县处级以上女干部有7.73万人，占同级机关干部总数的15.1%。全国女干部在同级干部中所占的比例呈上升趋势。越来越多的优秀女干部被选拔到各级领导岗位，正发挥着重要作用。作为党委组织部门的参谋和助手，培养选拔女干部、为我党的干部队伍输送新鲜血液，多年来一直是妇联组织的工作之一。《中华全国妇女联合会章程》中规定，各级妇女联合会要加强女干部的培养，重视培训工作，加强培训基地建设。妇女联合会应经常向各方面推荐输送优秀女干部，特别要注意培养推荐输送少数民族和青年女干部。各级妇女联合会要成为培养和输送女干部的重要基地。

为发挥各级妇女联合会的作用，1988年中组部、全国妇联联合下发了《关于在改革开放中加强培养选拔女干部工作的意见》，该意见中指出，应加强党委组织部门和妇联的配合，共同做好培养选拔女干部的工作。各级妇女联合会及其团体会员，可以向国家机关、社会团体、企业事业单位推荐女干部。妇女联合会的团体会员包括：厂矿企业的基层工会女职工委员会及其以上各级工会女职工委员会均是妇女联合会的团体会员；凡在民政部门注册登记的全国性和地方性的妇女团体，各行业妇女自愿组织的为社会、为妇女服务的协会、联谊会、宗教团体和其他群众团体的妇女组织，自愿申请，经全国妇女联合会或当地妇女联合会同意，可作为妇女联合会的团体会员。团体会员应接受妇女联合会业务指导。

各级妇女联合会及其团体会员，向国家机关、社会团体、企业事业单位推荐女干部的工作方式主要有以下几个方面：

（1）妇女预备干部培训。为推动妇女干部提高参政议政能力，积极配合党委组织部门，开展对女领导干部和女后备干部的培训。通过以提高综合素质为目的“女能人联谊会”“女领导干部联谊会”等网络，组织开展各种活动，使更多的妇女人才得到挖掘和发现，进入组织部门的视野。

(2)建立妇女人才库。全国妇联于1991年制定下发了全国妇联妇女人才库工作方案，要求各级妇联组织建立妇女人才库，主动向各级党委组织部门、人事部门推荐各类妇女人才。方案中对建库的目的、任务、人才信息收集渠道、上报方式等作了明确的说明。近年来，随着工作逐步开展，妇女人才信息收集工作辐射面逐渐扩大。同时，广泛联系民主党派妇女、无党派妇女、政协女委员、非公有制经济女性代表人士、民族宗教界妇女，选录她们中的优秀人才，组成爱国妇女人才库，作为妇女人才库中一个有机的组成部分。妇女人才库对优秀妇女人才分门别类造册登记、建档入库，实行动态管理；而且层层建立了女性人才库，女厅级干部、女处级干部、高级职称女专业人才、女经营管理人才、党外知名女性等各类女干部分别建立档案，形成较为完备的女性人才信息库。各级妇女联合会坚持对人才库中女干部的信息进行定期分析，长期跟踪；对人才库中女干部定期考察，优选劣汰。并且及时补充和更新信息，不断地加强人才库建设，为培养选拔女干部提供后备资源。

各省、市妇女联合会还陆续建立了“妇女人才促进会”“妇女人才信息中心”等信息网络。

(3)开展推优工作。各级妇女联合会及其团体会员还充分利用自身的优势，通过人大、政协、妇女代表大会及妇女群众组织等多种途径了解妇女人才信息，多层次多渠道地向有关部门推荐女干部。

第十四条　对于有关保障妇女权益的批评或者合理建议，有关部门应当听取和采纳；对于有关侵害妇女权益的申诉、控告和检举，有关部门必须查清事实，负责处理，任何组织或者个人不得压制或者打击报复。

【释义】　本条是关于保障妇女权益的批评、建议、申诉、控告、检举权的规定。

我国公民可以通过行使监督权保障其合法权益，对侵犯妇女权益的行为，任何公民都享有批评、建议、申诉、控告、检举权。

一、批评、建议、申诉、控告、检举权

监督权是指公民有监督一切国家机关及其工作人员活动的权利。《宪法》规定，一切国家机关和国家工作人员必须依靠人民的支持，经常保持同人民的密切联系，倾听人民的意见和建议，接受人民的监督，努力为人民服务。中华人民共和国公民对于任何国家机关和国家工作人员，有提出批评和建议的权利；对于任何国家机关和国家工作人员的违法失职行为，有向有关国家机关提出申诉、控告或者检举的权利，但是不得捏造或者歪曲事实进行诬告陷害。对于公民的申诉、控告或者检举，有关国家机关必须查清事实，负责处理，任何人不得压制和打击报复。对于国家机关和国家工作人员侵犯公民权利而受到损失的人，有依照法律规定取得赔偿的权利。

批评建议权，更多地侧重于保障人民当家作主、参政议政权利的功能；而申诉、控告与检举权，则更多地侧重于保障人民的合法权益，起到“权利保障（救济）底线”的功能。

“国家机关”指国家权力机关、行政机关、审判机关、检察机关及其所属工作部门，包括中央国家机关和地方各级国家机关。

批评权是指公民有权指出国家机关及其工作人员工作中的缺点和错误，并要求改正的权利。建议权是指公民对国家机关及其工作人员的工作，提出建设性意见的权利。公民行使批评、建议权的方式是多样的，主要的有三种：一是通过报刊批评，这是群众监督的重要方式与手段；二是通过各级党委、人大常委会、人民政府及所属机关信访的方式；三是通过基层群众性自治组织，如居民委员会、村民委员会，向党和政府反映批评、建议。

申诉权是指公民认为国家机关的行为违法或者不当，损害自己的合法权益时,向有关国家机关说明理由,提请重新处理的权利。申诉包括诉讼上的申诉和非诉讼上的申诉:(1)诉讼上的申诉,指刑事、民事、行政案件当事人及其法定代理人、近亲属认为法院已经发生法律效力的判决和裁定有错误,向人民法院或人民检察院提出予以纠正的活动。(2)非法律诉讼上的申诉,指公民对于国家机关所作出的决定不服时,可以向其上级机关或者有关机关提出申诉,要求改正或者撤销原决定。其特点是:①申诉的对象可以是人民法院的判决、裁定、决定或者人民检察院的决定,也可以是其他国家机关的决定;②申诉的内容可以是国家机关的决定违法或者不当,也可以是不履行法定职责;③申诉的机关可以是作出原决定的国家机关,也可以是作出原决定机关的上一级国家机关,还可以是特定的国家机关;④作为申诉对象的决定一般情况下是已经发生法律效力的决定。

控告权是指公民向司法机关或者其他有关国家机关和组织检举违纪、违法、犯罪行为,并要求依法处理的权利。控告一般是由被害人或者其法定代理人向被控告对象的单位及其上级机关、各级公安机关、人民检察院、人民法院提出。

检举权是指公民揭发违反党纪、政纪以及各种不正之风、违法犯罪的问题并要求查处的权利。检举人与检举事由不必要有直接联系,任何单位和个人发现犯罪事实或犯罪嫌疑人,有权利也有义务依法向公安机关、检察院、法院举报。对于各种违法、违纪行为,检举人也有权利向有关国家机关检举。

二、有关部门应积极办理批评、建议、申诉、控告、检举案件

根据《信访条例》的规定,各级人民政府、县级以上人民政府工作部门应当畅通信访渠道,为信访人采用本条例规定的形式反映情况,提出建议、意见或者投诉请求提供便利条件。行政机关及其工作人员办理信访事项,应当恪尽职守、秉公办事,查明事实、分清责任,宣传法制、教育疏导,及时妥善处理,不得推诿、敷衍、拖

延。信访人反映的情况，提出的建议、意见，有利于行政机关改进工作、促进国民经济和社会发展的，有关行政机关应当认真研究论证并积极采纳。县级以上人民政府信访工作机构发现有关行政机关办理信访事项推诿、敷衍、拖延的，应当及时督办，并提出改进建议。

三、压制或者打击报复批评、建议、申诉、控告、检举人的法律责任

压制或者打击报复批评、建议、申诉、控告、检举人的法律责任包括刑事责任、行政责任、民事责任。

《刑法》规定，国家机关工作人员滥用职权、假公济私，对控告人、申诉人、批评人、举报人实行报复陷害的，处2年以下有期徒刑或者拘役；情节严重的，处2年以上7年以下有期徒刑。

《行政监察法》规定，对申诉人、控告人、检举人或者监察人员进行报复陷害的，依法给予行政处分。

《信访条例》规定，对信访事项有权处理的行政机关在办理信访事项过程中，推诿、敷衍、拖延信访事项办理或者未在法定期限内办结信访事项的；对事实清楚，符合法律、法规、规章或者其他有关规定的投诉请求未予支持的，对可能造成社会影响的重大、紧急信访事项和信访信息隐瞒、谎报、缓报，或者授意他人隐瞒、谎报、缓报，造成严重后果的，依法给予行政处分。

《国家赔偿法》规定，国家机关和国家机关工作人员违法行使职权侵犯公民、法人和其他组织的合法权益造成损害的，受害人有依照本法取得国家赔偿的权利。《国家赔偿法》规定的国家赔偿范围包括行政赔偿、司法赔偿。

第三章 文化教育权益

第十五条 国家保障妇女享有与男子平等的文化教育权利。

【释义】 本条是关于男女平等享有教育权利的规定。

公民的文化教育权是指公民按照宪法的规定,在文化和教育领域享有的权利。宪法赋予公民文化教育权利,对于建设社会主义精神文明,提高全民族的文化水平有着重要意义。教育方面的权利主要表现为受教育权,文化活动方面的权利主要表现为科学研究的自由、文艺创作的自由和从事其他文化活动的自由。

我国宪法规定,中华人民共和国公民有受教育的权利和义务。妇女在文化、教育等方面享有同男子平等的权利。男女享有平等的文化教育权利是国际上达成共识的基本人权观念。《经济、社会及文化权利国际公约》规定本公约缔约各国承认人人有权:(1)参加文化生活;(2)享受科学进步及其应用所产生的利益;(3)对其本人的任何科学、文学或艺术作品所产生的精神上和物质上的利益,享受被保护之利。《消除对妇女一切形式歧视公约》规定,男女在权利平等的基础上享有一切经济、社会、文化、公民和政治权利。

本法所规定的妇女的文化教育权益主要表现在以下几个方面:(1)妇女在入学、升学、授予学位、派出留学等方面享有与男子平等的权利;(2)学校保障女性青少年身心健康发展;(3)适龄女性儿童少年有接受义务教育的权利;(4)妇女有接受扫除文盲教育的权利;(5)妇女有接受职业教育和技术培训的权利;(6)妇女从事科学、技术、文学、艺术和其他文化活动,享有与男子平等的权利。

经过多年来的努力，我国妇女的文化教育权益有了喜人的发展：女性受教育面扩大，受教育水平显著提高；男女两性受教育年限差距缩小；在校大学生男女两性比例缩小，甚至趋向持平；有更多女性在继续教育中获得更高学位；妇女从事科学、技术、文化、艺术和其他文化活动的权益也有相当的发展。1998 年，妇女平均受教育年限为 6.5 年，男女差异从 1995 年的 1.7 年减少到 1998 年的 1.5 年。针对部分边远、贫困和少数民族地区妇女就学存在的实际困难，采取办女童班、办女校、实行免费上学等办法，努力消除妇女受教育的障碍。目前，在校学生中的女性比重进一步提高。1998 年大学、高中、初中、小学女生比例分别比 1995 年提高 2.9、1.3、0.9、0.3 个百分点。女童入学率提高，辍学率下降。截止到 2003 年年底，女童小学净入学率达到 99% 以上，接近发达国家水平。1998 年小学女生辍学率为 0.92%，比 1995 年下降了 0.6 个百分点。1998 年中等职业教育中女性在校学生比重为 51.8%，比 1995 年提高了 8.3 个百分点；成人高等教育中女性在校学生比重为 46.8%，比 1995 年提高了 2.3 个百分点。到 1999 年年底，中国科学院、中国工程院有女院士 70 人，占院士总数的 6%，高于世界其他国家的女院士比例。15 岁以上女性人均受教育年限的增幅大于男性；妇女文盲率下降幅度也大于男性，男女受教育水平的差异进一步缩小。

同时，我国国家机关、社会团体和企业事业单位共同努力，积极地促进了妇女文化教育权益的发展。1995—2000 年，中央财政专门拨款 39 亿元，同时要求地方财政按 2∶1 或 1.5∶1 配套投入，加强贫困地区的义务教育基础建设。1997 年，政府投入 1.3 亿元，设立国家贫困地区义务教育助学金，每年资助 60 多万名因家庭贫困而失、辍学的儿童，目前已资助失、辍学儿童 46 万余名。教育部和财政部建立了定期表彰扫盲先进地区政府的奖励制度，平均每年扫除400多万文盲,其中65%以上是妇女。全国妇联自1989年在全国开展以救助失学女童为目的的“春蕾计划”,到2000年7月共集资3.3亿元,使105万失学女童重返学校。中国青少年发展基金会自1989年实施以救助失学儿童为目的的“希望工程”,到1999年年底共援建“希望小学”7812余所,使贫困地区229万失学儿童重返校园,其中近一半为女童。

虽然与过去相比,我国妇女的文化教育权益状况有了明显的改善,但是与发达国家相比,我国的妇女文化教育水平仍然落后。目前,我国妇女在文化教育方面存在的实际问题主要有:(1)总体上女性文化水平低于男性,女性平均受教育年限低于男性,初中以上各级学历,女性的比例通常低于男性。从全国整体状况来看,越是高一级学历,女性的比例越是低于同等学历的男性;不同层次的男女科研人员也存在类似状况,形成了文化层次越高,女性比例越小的局面。(2)女童失学现象仍比较严重,主要表现在女童入学率低,辍学率高,在国家义务教育阶段从小学高年级到初中,农村及贫困地区女生流失率较高,由此又造成了新的文盲、半文盲。在文盲、半文盲中女性仍然高于男性。(3)女性文化教育权益的实现仍存在地区差异,主要是城乡差异、发达地区与贫困地区的差异、不同民族之间的差异。

在新的历史条件下,提高妇女素质显得尤为重要和紧迫,这是一项长期的战略任务。保障妇女文化教育权利的实现是提高妇女素质的前提,只有保障妇女享有与男子平等的文化教育权利,才能培养妇女成为“四有”(有理想、有道德、有文化、有纪律)和“四自”(自尊、自信、自立、自强)的新女性,从而推动妇女发展、促进综合国力增强。

第十六条　学校和有关部门应当执行国家有关规定,保障妇女在入学、升学、毕业分配、授予学位、派出留学等方面享有与男子

平等的权利。

学校在录取学生时,除特殊专业外,不得以性别为由拒绝录取女性或者提高对女性的录取标准。

【释义】 本条是关于学校和有关部门应保障妇女在就学方面享有与男子平等的权利及学校在录取学生时不得歧视女性的规定。

学校教育是妇女提高自身素质的重要方式。学校和有关部门在培养女学生方面负有不可推卸的责任,各项工作都应在男女平等的基础上展开。

一、入学、升学、就业分配方面的男女平等

多年来,我国各级各类学校在校生中的女生比重有了大幅度提高,并且逐年增加。但是离男女平等的目标仍有一段差距。根据国家统计局数据统计,2002 年各级普通学校女生人数和占学生总数的比例:小学 5738. 1 万人,占 47. 2%;职业中学 243. 3 万人,占 47. 6%;普通中学 3870. 2 万人,占 46. 7%;中专 258. 4 万人,占 56. 6%;大学 397 万人,占 43. 95%。在这组数据中,只有中专女生比男生高出 13. 2%,其他各项均低于男生,最少低 5. 8%,最高低 12. 1%,平均低 7. 8%。再看 2002 年硕士和博士学位人数及性别构成:硕士 66203 人,女生仅占 38. 7%;博士 14638 人,女生又降了 12. 7 个百分点,只有区区 26. 0%。从数字中可以看出,女性入学率普遍低于男性。

学校在录取学生时歧视女性的行为主要体现在:(1)学校或学校某些非特殊专业不招收女生;(2)学校或学校某些非特殊专业招生时设定男女生比例,女生比例小于男生比例;(3)学校或学校某些非特殊专业招生时提高对女性的录取标准,主要是分数标准。

因此,本法有针对性的规定,学校在录取学生时,除特殊专业外,不得以性别为由拒绝录取女性或者提高对女性的录取标准。

其中的“特殊专业”指国防专业、公安专业、某些定向招生的专业及基于特定教育目标或其他非因性别因素的正当理由而设置的专业。除本法外，其他一些规范性文件也对此作出了规定，如1995年劳动部《关于贯彻实施中国妇女发展纲要的通知》中规定，技工学校招生工作必须坚持男女平等的录取原则，除国家规定的不适合女性从事的专业（工种）外，其余专业（工种）不得拒绝招收女学生，有条件的地方可创办女子技工学校。2005年山东省招生办规定，未经教育部批准，任何高校不得规定男女生录取比例。

二、毕业分配方面的男女平等

目前，我国某些地方存在女性就业难的现象，主要体现在两个方面：（1）某些用人单位不愿意录用女性；（2）女性职业下沉。女性就业层次偏低，70.5%是农林牧渔劳动者，各类负责人、专业技术人员、办事人员只占在业女性总体的9.7%。女性就业难，必然反向影响到学校招收女学生的积极性和给女学生毕业分配带来困难。可以说就业问题和分配问题形成了倒因果关系。

虽然女性就业难给女学生毕业分配带来很大压力，但学校和有关部门应排除万难，保障妇女在毕业分配方面享有与男子平等的权利。

三、授予学位方面的男女平等

学位是国家根据公民的专业学术水平而授予的称号。

根据《学位条例》规定，凡是拥护中国共产党的领导、拥护社会主义制度，具有一定学术水平的公民，都可以按照条例的规定申请相应的学位。学位分学士、硕士、博士三级。

学士学位，由国务院授权的高等学校授予；硕士学位、博士学位，由国务院授权的高等学校和科学研究机构授予。授予学位，应严格依照规定的条件进行，不得性别歧视。

四、派出留学方面的男女平等

派出留学是吸收国外先进的科学技术和经济行政管理经验及

其他有益文化,加强我国高级专门人才培养的重要途径。国家公派出国留学人员名额、种类、国别比例、学科比例的确定,选拔工作的组织,由国家教委组织安排;部门、地方、单位公派出国留学人员的名额、种类、国别比例、学科比例的确定和选拔工作,由选派的部门、地方、单位根据国家教委总的指导原则和各单位的实际需要安排。

派出留学方面的男女平等体现在两个方面:一是男女派出留学的条件平等;二是选拔人员必须基于非性别考虑基础上公正、公平的进行。

第十七条　学校应当根据女性青少年的特点,在教育、管理、设施等方面采取措施,保障女性青少年身心健康发展。

【释义】 本条是关于学校应当保障女性青少年身心健康发展的规定。

要实现男女实质意义上的平等,不仅需要有权利的无差异对待,还需要有权利的区别性对待,体现了差异性的平等才是真正的平等。本条是对女性特殊保护的规定,从女性生理和心理上的特点出发,才能更好地维护女性的教育权。

由于女性青少年的生理和心理在青春期发生了巨大的变化,与男性青少年形成了鲜明的对比,因此,学校在对女性青少年实施教育、管理时,应当采取适当的措施,对于青春期给女性青少年带来的生理和心理上的变化给予正确的引导,使她们获得正确的认识,并对女性青少年予以特殊的保护,从而使她们的身心得到健康发展。

我国现行的有关教育的规范文件中已有不少关于学校在教育、管理、设施等方面保障女性青少年身心健康发展的内容,概括起来有以下几个方面:

(1)关于生理卫生教育。开设专门针对女学生的生理卫生课程;女学生在月经期不参加剧烈体育运动和不适宜的劳动;在女学生月经来潮之前安排一至二次讲座,进行月经期生理卫生教育。

(2)学校应当开展女学生健康咨询活动,特别应重视女学生的心理健康咨询。

(3)关于体育课。学校在安排体育课以及劳动等体力活动时,应当注意女学生的生理特点,给予必要的照顾;高等学校体育课应按男女生分班上课;有条件的中学体育课应男女分开教学,女生课最好由女教师担任,并要体现女生课的特点。

(4)关于劳动技术课。要根据学生的年龄、性别等生理特点和知识水平,选择他们力所能及的、无毒害的、无危险的劳动项目;学生参加劳动的时间和强度要适度,对体弱的学生和女学生的生理特点要给予照顾;技工学校应照顾女学生的生理特点,注意经期劳动保护。

(5)关于女生宿舍管理。中小学校要把女生宿舍作为重点,要有人管理或设专人负责,要加强夜间值班制度,认真执行出入、会客、留宿、携物、人走上锁等制度;凡是有条件的学校都要为女生单独划出宿舍区、宿舍楼或楼层,从严管理。

(6)关于医疗卫生设施。各中学及其有条件的小学设卫生室时,配备校医、卫生人员或保健教师;高等院校医院或卫生所,预防和治疗妇女疾病,对学校的妇女卫生进行业务指导和卫生监督;高等院校要有淋浴等卫生设施。

(7)中小学校应配备包括以下内容的健康教育教具:在小学介绍女性内生殖系统,儿童期、青春期女学生形态的变化;在中学介绍女性生殖系统、青春期女学生形态的变化、性病(淋病、梅毒、尖锐湿疣、艾滋病)。

(8)从严治教。调入中小学、中等专业学校、技工学校教职工队伍的人员,除考察其业务水平、工作能力外,要对其思想品德进行严格审查,防止道德品质不好的人混入教职工队伍。加强对中小学、中等专业学校、技工学校教职工的思想政治工作，提高他们的政治素质，并教育他们敢于同危害女学生的坏人坏事作斗争，保护女学生不受坏人残害。

（9）制度上杜绝教师性犯罪伤害女学生案件的发生。各级教育行政部门和学校要建立严格的考核、责任制度，加强对学校工作和校园安全的日常管理和检查，并使之规范化、经常化；建立学校性犯罪案件报告制度，学校要定期向主管教育行政部门报告；各省级教育行政部门每年向教育部报告本地当年学校教师性犯罪案件情况；建立健全家长、社区对学校的监督制度。

第十八条　父母或者其他监护人必须履行保障适龄女性儿童少年接受义务教育的义务。

除因疾病或者其他特殊情况经当地人民政府批准的以外，对不送适龄女性儿童少年入学的父母或者其他监护人，由当地人民政府予以批评教育，并采取有效措施，责令送适龄女性儿童少年入学。

政府、社会、学校应当采取有效措施，解决适龄女性儿童少年就学存在的实际困难，并创造条件，保证贫困、残疾和流动人口中的适龄女性儿童少年完成义务教育。

【释义】　本条是关于家庭、政府、社会、学校保障适龄女性儿童少年接受义务教育的规定。

一、我国的义务教育制度

根据我国宪法和其他相关法律、法规、规章的规定，国家普及初等义务教育，国家、社会、学校和家庭依法保障适龄儿童、少年接受义务教育的权利。国家实行九年制义务教育。义务教育可以分为初等教育和初级中等教育两个阶段。在普及初等教育的基础上普及初级中等教育。初级中等教育包括普通初中教育和初级中等职业技术教育。我国九年制义务教育的学制年限实行小学 6 年、初中 3 年的“六、三”制，或小学 5 年、初中 4 年的“五、四”制或九年一贯制。小学5年、初中3年为过渡学制,将在相当长的时期内存在。因此,目前的五年制小学不要急于向六年制过渡。凡年满6周岁的儿童,不分性别、民族、种族,应当入学接受规定年限的义务教育。条件不具备的地区,可以推迟到7周岁入学。义务教育阶段免收学费。少数民族地区,贫困、边远地区等,已实行免收杂费的,仍按原有规定执行。有条件的地区可以免收杂费;条件尚不具备的地区,要向家长做好解释工作,并在当地财政状况许可时,免收杂费;对家庭经济困难的学生,可减免杂费。

二、我国适龄女性儿童少年接受义务教育的现状及发展目标

(一)我国适龄女性儿童少年接受义务教育的现状

2004年中国教育事业发展状况公告中的数据显示,到2004年年底,全国普及九年义务教育地区人口覆盖率已达到93.6%,比2003年提高了1.8个百分点。小学学龄儿童入学率达98.95%,比2003年提高了0.3个百分点,其中女童入学率达到98.93%,男女性别差异为0.04%。小学毕业生升学率达到98.1%,比2003年提高0.2个百分点。初中毛入学率达到94.1%,比2003年提高1.4个百分点。

义务教育质量有所提高,但巩固提高任务依然非常艰巨。2004年小学辍学率为0.59%,其中女童为0.6%;初中阶段辍学率为2.49 %,其中女生为2.19%。个别地区初中辍学率仍然比较高。

(二)我国适龄女性儿童少年接受义务教育的发展目标

《中国妇女发展纲要(2001—2010年)》中确定的目标是:保障女童接受九年义务教育的权利。小学适龄女童的净入学率达到99%左右,小学5年巩固率提高到95%左右,基本杜绝小学适龄女童失学。初中女童毛入学率达到95%左右。

三、父母或者其他监护人的义务

根据相关法律规定,父母或者其他监护人应当依法履行对未

成年人的监护职责和抚养义务，不得歧视女性儿童少年。父母或者其他监护人必须使适龄的子女或者被监护人按时入学，接受规定年限的义务教育，不得使在校接受义务教育的未成年人辍学。

适龄儿童、少年因疾病或者特殊情况，需要延缓入学或者免予入学的，由儿童、少年的父母或者其他监护人提出申请，经当地人民政府批准。因身体原因申请免学、缓学的，应当附具县级以上教育主管部门指定的医疗机构的证明。缓学期满仍不能就学的，应当重新提出缓学申请。

地方各级人民政府必须创造条件，使适龄儿童、少年入学接受义务教育。除因疾病或者其他特殊情况经当地人民政府批准的以外，对不送适龄女性儿童少年入学的父母或者其他监护人，由当地人民政府予以批评教育，并采取有效措施，责令其送适龄女性儿童少年入学。

四、政府、社会、学校的义务

1.《义务教育法》规定，国家、社会、学校和家庭依法保障适龄儿童、少年接受义务教育的权利。现在，我国多数城市都已普及了初中教育，义务教育普及程度继续提高，流动人口中适龄儿童少年入学状况有所改善。但在取得成绩的同时，我们也应看到，许多适龄儿童少年，特别是女性适龄儿童少年存在不入学或中途辍学。因此政府、社会、学校仍应当采取有效措施，解决女性适龄儿童少年就学存在的实际困难。

2. 保证贫困人口中的适龄女性儿童少年完成义务教育。国务院批转教育部《2003—2007 年教育振兴行动计划》的通知规定，中央、省和地（市）级政府通过增加转移支付，增强财政困难县义务教育经费的保障能力。建立和健全助学制度，扶持农村家庭经济困难学生接受义务教育。继续设立中小学助学金，重点放在中西部农村地区；对家庭经济困难学生，逐步扩大免费发放教科书的范围，逐步免除杂费，为寄宿学生提供必要的生活补助；通过给学校划拨少量土地或提供劳动实践场所，帮助学生勤工助学并改善生活；广泛动员和鼓励机关、团体、企事业单位和公民捐资助学。到2007年，争取全国农村义务教育阶段家庭经济困难学生都能享受到“两免一补”（免杂费、免书本费、补助寄宿生生活费），努力做到不让学生因家庭经济困难而失学。

3. 保证残疾人口中的适龄女性儿童少年完成义务教育。《残疾人保障法》规定，国家、社会、学校和家庭对残疾儿童、少年实施义务教育。国家对接受义务教育的残疾学生免收学费，并根据实际情况减免杂费。国家设立助学金，帮助贫困残疾学生就学。残疾人教育，根据残疾人的身心特性和需要，按照下列要求实施：(1)在进行思想教育、文化教育的同时，加强身心补偿和职业技术教育；(2)依据残疾类别和接受能力，采取普通教育方式或者特殊教育方式；(3)特殊教育的课程设置、教材、教学方法、入学和在校年龄，可以有适度弹性。残疾人教育，着重发展义务教育和职业技术教育。初级中等以下特殊教育学校和普通学校附设的特殊教育班，对不具有接受普通教育能力的残疾儿童、少年实施义务教育。

国务院批转《中国残疾人事业“十五”计划纲要》的通知规定，切实将残疾儿童少年教育纳入义务教育体系，以随班就读为主体，使适龄残疾儿童少年义务教育入学率在已经通过普及九年义务教育验收的地区达到或接近当地健全儿童少年水平，尚未通过普及九年义务教育验收的地区，入学率要有大幅度提高。各地进一步建立健全助学金制度，将残疾儿童少年义务教育助学金纳入义务教育助学金体系。

4. 保证流动人口中的适龄女性儿童少年完成义务教育。国务院《关于印发2005年工作要点的通知》中把认真解决好进城务工农民子女上学的问题作为工作的重点。2003年国务院办公厅《关于做好农民进城务工就业管理和服务工作的通知》中规定，要保障农民工子女接受义务教育的权利。流入地政府应采取多种形式，接收农民工子女在当地的全日制公办中小学入学，在入学条件等方面与当地学生一视同仁，不得违反国家规定乱收费，对家庭经济困难的学生要酌情减免费用。要加强对社会力量兴办的农民工子女简易学校的扶持，将其纳入当地教育发展规划和体系，统一管理。简易学校的办学标准和审批办法可适当放宽，但应消除卫生、安全等隐患，教师要取得相应任职资格。教育部门对简易学校要在师资力量、教学等方面给予积极指导，帮助完善办学条件，逐步规范办学，不得采取简单的关停办法，造成农民工子女失学。流入地政府要专门安排一部分经费，用于农民工子女就学工作。流出地政府要配合流入地政府安置农民工子女入学，对返回原籍就学的，当地学校应当无条件接收，不得违规收费。

第十九条　各级人民政府应当依照规定把扫除妇女中的文盲、半文盲工作，纳入扫盲和扫盲后继续教育规划，采取符合妇女特点的组织形式和工作方法，组织、监督有关部门具体实施。

【释义】　本条是关于各级政府将扫除妇女文盲工作纳入规划并组织、监督有关部门具体实施的规定。

一、国务院有关扫除文盲工作的规定

1988 年国务院发布的《扫除文盲工作条例》规定，凡年满 15 周岁以上的文盲、半文盲公民，除丧失学习能力的以外，不分性别、民族、种族，均有接受扫除文盲教育的权利和义务。

地方各级人民政府应当加强对扫除文盲工作的领导，制订本地区的规划和措施，组织有关方面分工协作，具体实施，并按规划的要求完成扫除文盲任务。地方各级教育行政部门应当加强对扫除文盲工作的具体管理。城乡基层单位的扫除文盲工作，在当地人民政府的领导下，由单位行政领导负责。村民委员会、居民委员会应当积极协助组织扫除文盲工作。扫除文盲与普及初等义务教育应当统筹规划，同步实施。已经实现基本普及初等义务教育、尚未完成扫除文盲任务的地方,应在五年以内实现基本扫除文盲的目标。扫除文盲教育应当讲求实效,把学习文化同学习科学技术知识结合起来,在农村把学习文化同学习农业科学技术知识结合起来。

扫除文盲实行验收制度。扫除文盲的学员由所在乡(镇)人民政府、城市街道办事处或同级企业、事业单位组织考核,对达到脱盲标准的,发给“脱盲证书”。基本扫除文盲的市、县(区),由省、自治区、直辖市人民政府验收;乡(镇)、城市的街道,由上一级人民政府验收;企业、事业单位,由所在地人民政府验收。对符合标准的,发给“基本扫除文盲单位证书”。

扫除文盲教育所需经费采取多渠道办法解决。除下列各项外,由地方各级人民政府给予必要的补助:(1)由乡(镇)人民政府、街道办事处组织村民委员会或有关单位自筹;(2)企业、事业单位的扫除文盲经费,在职工教育经费中列支;(3)农村征收的教育事业费附加,应当安排一部分用于农村扫除文盲教育。鼓励社会力量和个人自愿资助扫除文盲教育。

扫除文盲工作实行行政领导责任制。扫盲任务应当列为县、乡(镇)、城市街道和企业、事业单位行政负责人的职责,作为考核工作成绩的一项重要内容。对未按规划完成扫除文盲任务的单位,由地方各级人民政府处理。地方各级人民政府应定期向上一级人民政府报告扫除文盲工作的情况,接受检查、监督。

二、我国妇女文盲的现状

中国有近13亿人。15岁以上人口中8500多万人是文盲,占世界文盲总数的1/10;每15个中国人中有一个文盲;文盲90%集中在农村,50%在西部,70%是女性。

影响妇女教育水平提高的原因,主要是家庭对女性教育的期望值偏低。数据表明,未能继续升学的女性中,父母不让上的占36.8%,比男性高8.9个百分点。虽然“家境困难”同样都是父母不让子女继续上学的主要原因(男性占69.8%,女性占68.1%),但父母认为女孩上学没有用的达9.1%,比男性的同一比例高5.6个百分点。可见,农村妇女受教育水平低于男性,经济困难固然是主要原因,但轻视妇女的传统观念的影响也不容忽视。女童失学现象尤其严重,特别是在农村地区和经济落后地区,重男轻女的思想还比较严重,不少家长认为女孩子最终的角色在家庭,很多女孩在小学毕业后就被迫辍学,到城市打工养家糊口。

三、扫除妇女文盲工作的开展

根据相关规范性文件的规定,扫除妇女文盲工作包括以下几个方面:

(1)重点推进贫困地区、少数民族和妇女的扫盲教育。尚未实现基本扫除青壮年文盲的省(自治区)需设立贫困地区扫盲项目;在22个人口较少民族中,要设立民族扫盲项目;已经实现基本扫除青壮年文盲目标的省(自治区、直辖市)要设立妇女扫盲项目,重点扫除妇女文盲。

(2)各地人民政府和教育行政部门动员全社会开展多种形式的经常性助学活动。充分发挥各类基金会、"希望工程""春蕾计划""山区女童助学计划"等社会公益项目在经常性助学活动中的作用,特别注意帮助失学女儿童少年入学、复学。并且要从教育内容、教育形式等方面,注意符合女性儿童少年的特点和需求。共青团、妇联要充分发挥基层组织的作用,积极动员青壮年文盲,特别是妇女文盲参加学习,凡有扫盲任务的地方,青年、妇女组织都要积极参与举办扫盲班(组)或开展包教保学活动。

(3)各级教育科研机构要重视和加强对妇女扫盲工作的有效途径等方面的研究与探索,以科学的理论指导妇女扫盲教育,以科学的方法提高妇女扫盲工作的针对性和实用性。

(4)地方各级人民政府对在扫除妇女文盲工作中成绩显著的单位或个人予以表彰、奖励。妇联定期对在扫除妇女文盲工作中做出突出贡献的单位或个人颁发“巾帼扫盲奖”。

第二十条 各级人民政府和有关部门应当采取措施，根据城镇和农村妇女的需要，组织妇女接受职业教育和实用技术培训。

【释义】 本条是关于各级政府和有关部门组织妇女接受职业教育和实用技术培训的规定。

职业教育和实用技术培训是国家教育事业的重要组成部分，是促进经济、社会发展和劳动就业的重要途径。

《中国妇女发展纲要(2001—2010 年)》中指出，要提高妇女接受职业教育的水平，注重培养妇女的职业技能和适应职业变化的能力；重点发展县(市)、乡(镇)和农村的中等职业教育，为初中毕业生中的女性提供多种形式的继续学习机会；努力创造条件，使农村妇女劳动者能普遍受到实用生产技术培训和文化知识教育。

根据《劳动法》和《职业教育法》的规定，职业教育是指各级各类职业学校教育和各种形式的职业培训。国家发展职业教育，推进职业教育改革，提高职业教育质量，建立、健全适应社会主义市场经济和社会进步需要的职业教育制度，公民有依法接受职业教育的权利。各级人民政府应当将发展职业教育纳入国民经济和社会发展规划，鼓励和支持有条件的企业、事业组织、社会团体和个人进行各种形式的职业培训。国家采取措施，帮助妇女接受职业教育，组织失业人员接受各种形式的职业教育，扶持残疾人职业教育的发展。

《农业法》规定，国家采取措施鼓励农民采用先进的农业技术，支持农民举办各种科技组织，开展农业实用技术培训、农民绿色证书培训和其他就业培训，提高农民的文化技术素质。

据第二期中国妇女社会地位抽样调查的统计数据显示，1997 年至 2000 年，全国城乡有 13.5% 的女性参加了各类培训或进修，40 岁以下城镇女性参加培训的比例达 26.1%。城镇妇女参加的培训以职业培训为主(共占 72.2%);农村女性参加的培训以实用技术为主(占 61.5%)。在接受培训或进修的女性中,自费参加的占 31.6%,其中城镇女性为 41.6%,比城镇男性高 4.7 个百分点;由政府部门提供培训经费的,农村女性占 36.2%,比男性高 6.7 个百分点;由国际项目提供培训经费的,农村女性占 1.8%,比男性高 0.9 个百分点。

总的来说我国妇女在接受职业教育和实用技术培训方面取得了长足的进展。能够取得这样的成绩,与各级政府和有关部门的推动密不可分。

教育部门为妇女提供接受职业学历教育的平等机会。中等职业学校女生在校人数已占中等职业学校在校生总数的 56.11%。中等专业学校历年招生工作文件规定:“除有些特殊要求的专业经省、自治区、直辖市教育部门批准外,不得划分录取男、女生的比例。”职业中学招生除特殊专业外,男女生按同等分数线录取。劳动部门规定,技工学校招生时,适合女性的工种和专业要尽量招收女生。

农业部门从 1990 年开始实施绿色证书工程,对农村骨干农民特别是农村妇女有组织、有计划地开展岗位培训。各地开展的绿色证书培训中,农村妇女占到 40% 左右。到 2001 年,已有 550 多万农村妇女参加绿色证书培训。通过绿色证书培训,培养了一大批乡村女技术骨干和致富能手。从 1999 年起,农业部与财政部、团中央联合实施“跨世纪青年农民科技培训工程”。到 2001 年为止,已培训农村青年 280 万名,其中农村青年妇女 80 万人。通过“跨世纪青年农民科技培训工程”,培养了一支立足农村、能够带动广大农民勤劳致富奔小康的农村青年妇女骨干队伍。2001 年以来,农业部门举办多种形式的农业技术培训班 2100 余期次,培训农村妇女 9 万人次,其中 30% 的农村妇女通过培训掌握了两项以上的农业实用技术。农业部还组织各级农业部门、农业高中等院校、科研院所以及各类农民技术学校,通过“科技下乡”“科技之春”“科技大集”“科教兴村”“农民科技日”等活动，为广大农村妇女提供各类实用技术培训、咨询、示范和推广服务，大力推广农业新技术，让广大农村妇女通过各种途径接受农业实用技术培训。在提高农村妇女科技文化素质的同时，也为农业和农村经济发展提供了更强的智力支撑。

第二十一条 国家机关、社会团体和企业事业单位应当执行国家有关规定，保障妇女从事科学、技术、文学、艺术和其他文化活动，享有与男子平等的权利。

【释义】 本条是关于国家机关、社会团体和企业事业单位应当保障妇女从事文化活动享有与男子平等的权利的规定。

根据我国《宪法》规定，公民的文化权利包括三个方面的内容：从事科学研究的权利、文艺创作的权利和从事其他文化活动的权利。妇女在从事文化生活方面享有与男子平等的权利体现了宪法精神，同时也是国际社会公认的准则。《经济、社会及文化权利国际公约》对男女平等的文化权利作出了规定：缔约各国承担保证男子和妇女在本公约所载一切经济、社会及文化权利方面有平等的权利。缔约各国承认人人有权：(1)参加文化生活；(2)享受科学进步及其应用所产生的利益；(3)对其本人的任何科学、文学或艺术作品所产生的精神上和物质上的利益，享受被保护之利。该公约要求缔约各国应采取一切适当措施改变男女的社会和文化行为模式，以消除基于性别而分尊卑观念或基于男女定型任务的偏见、习俗和一切其他行为模式。

根据全国科技机构的统计，在科技机构中女性占所有科技活动人员的比例在近6年内基本稳定在只略高于1/3的水平。获得国家自然科学基金中人才基金资助的女性所占比例非常低，不足10%。中国科学院历年(1955—2003年)共增选的院士1027人中女院士49人，所占比例为4.8%。

根据中国科学技术信息研究所对在我国大陆地区科技核心期刊(中国科技论文引文统计源期刊)上发表文章的抽样统计,每6篇论文中,有5篇论文的第一作者为男性,1篇论文的第一作者为女性。1997年,国家自然科学奖中16.3%的获奖人为女性,国家技术创新奖中16.0%的获奖人为女性,国家科技进步奖中12.8%的获奖人为女性,妇女获奖人数仅占三大科技奖获奖人数的13.4%。

从以上数据中可以看出,中国妇女在科学技术发展中起到了一定作用,但作用尚不明显。为了在竞争中立于不败之地,必须让妇女掌握科技、管理等方面的新知识和新技能,靠实力和作为赢得社会的尊重。

同时,国家机关、社会团体和企业事业单位应从以下几个方面保障妇女从事文学、艺术活动:(1)培养妇女文学、艺术人才;(2)为妇女文学、艺术创作提供良好的环境;(3)保护妇女创作的文学、艺术作品的知识产权;(4)丰富妇女文学、艺术生活。如举办“妇女文化艺术节”“亿万妇女健身”等活动。

第四章 劳动和社会保障权益

第二十二条 国家保障妇女享有与男子平等的劳动权利和社会保障权利。

【释义】 本条是关于妇女享有平等劳动权和社会保障权的一般规定。

本条规定了国家保障妇女平等劳动权和社会保障权的基本原则,凡本章以下各条未作规定的有关保障妇女劳动权利和社会保障权利的事项,均可适用本条规定。具体而言,本条包含以下三个方面的内容:

一、妇女享有平等的劳动权利

劳动权利,是《宪法》规定的公民基本权利之一,指公民在劳动就业、劳动报酬、劳动保护、劳动保险等各方面的权利,其核心在于公民以自己合法劳动获得维持生存和发展的条件。我国妇女劳动就业的范围,远远超过世界许多国家,但就业中性别歧视的现象较为严重,一些单位在招工时,对男女均适宜的工作规定了不平等的性别比例,提高对妇女的录用标准,甚至明确拒绝招收女性;还有一些单位以女职工怀孕、生育和哺乳为由辞退女职工;男女退休年龄上不平等;妇女享受的社会保障、职工福利的程度总体上低于男性;男女同工不同酬现象依然存在;女性在工作职位和晋升机会上落后于男性等。种种不尊重、不保护妇女劳动权利的现象严重侵害了妇女的生存和发展的权利。参加社会劳动不仅是妇女谋取个人生活经济来源的手段,而且是妇女获得经济独立、提高社会地位的先决条件,是实现男女平等的经济支柱、是妇女实现其他权利的经济基础,因此保障妇女平等的劳动权利具有特别重要的意义,必须以立法的形式明确规定妇女平等的劳动权利。

妇女平等劳动权的具体内容为:一是平等就业和选择职业的权利;二是获取劳动报酬的权利;三是休息休假的权利;四是获得劳动安全卫生保障的权利;五是接受职业技术培训的权利;六是享受社会保险和福利的权利;七是依法参加工会、组建工会、民主管理企业等权利;八是提请劳动争议处理以及寻求司法救济的权利;九是法律法规规定的其他劳动权利。

二、妇女享有平等的社会保障权利

保障妇女享有平等的社会保障权利,是本法新增加的对妇女权利保护的一个重要内容,也是市场经济条件下妇女权益保障的新发展,表明我国对妇女权益保障更加全面和具体。增加规定妇女平等享有社会保障权的主要原因有三个:

第一,目前,妇女享受社会保障和职工福利的程度总体上要低于男性,这种现状亟须改变。有关调查表明,妇女在享受公费医疗或者医疗保险、退休金或者养老保险、失业保险、工伤保险、住房补贴的比例都比男性,分别要低 9.2 至 2.1 个百分点,能够享受生育保险的妇女仅为 35.5%,能够享受产假工资的妇女为 69.6%。

另外,妇女的特殊社会保障费用以前主要由其所在单位承担,因此有些单位往往从投入、产出的角度出发,认为录用女性成本较高,影响了经济效益,因此不愿录用女职工。这样就会导致因为保护了妇女的社会保障权利,而影响了妇女的劳动权利。本条将劳动权利和社会保障权利放在一起规定,首先表明了两项权利本来是不矛盾的,同时也督促有关部门采取有效措施,解决好妇女因怀孕、生育、产假产生的社会保障费用的合理分担问题。

第二,社会保障是国家的基本制度之一,2004 年 3 月 14 日通过的《宪法修正案》已明确规定:“国家建立健全同经济发展水平相适应的社会保障制度。”但现有的有关社会保障的规定缺乏对妇女合法权益的切实保护，而且规定得比较凌乱，迫切需要在有关保护妇女的综合性法律中作出明确规定。

第三，我国于1980年批准参加了《消除对妇女一切形式歧视公约》，该公约第11条规定，缔约各国应采取一切适当措施，消除在就业方面对妇女的歧视，以保证她们在男女平等的基础上享有相同权利，特别在退休、失业、疾病、残疾和老年或其他丧失工作能力的情况下，享有带薪休假的权利。既然我国已经签署了上述国际公约并得到了批准，就必须履行承诺的国际义务，采取包括立法在内的各种实际措施，保障妇女享受社会保障权利。

因此，根据本条规定，国家应该加快建设保护妇女的社会保障体系，完善健全的社会保障体系，为妇女最基本的生存权利提供重要的保证。

妇女平等享有社会保障权的措施主要在以下几方面：一是社会保险体系，主要包括生育保险、养老保险、失业保险、工伤保险等内容；二是社会救济和社会福利体系，主要包括对无劳动能力又无生活来源的妇女发放最低生活标准费、对患病者提供基本医疗保障、对未成年女童提供义务教育保障、对无劳动能力又无生活来源的残疾妇女提供救济和帮助等内容；三是社会优抚安置，如对服役军人家属提供一定的基本生活物质保障。

三、国家保障妇女平等劳动权利和社会保障权利的享有和行使

保障妇女平等劳动权利和社会保障权利的享有和行使是国家的责任。首先，国家通过立法和制定政策，来对妇女平等地享有和行使劳动权利和社会保障权利作一般性的规定，以法律和文件的形式将相应的基本原则和基本规则确定下来；其次，国家通过具体的执法机关来贯彻、实施既定的保障规则，制定保护的具体制度和实施步骤，对违反规定的行为运用行政权力予以纠正和制裁，维护受到侵害妇女的劳动权利和社会保障权利；再次，国家提供司法救

济途径，由司法机关依法进行审判，以判决、裁定的形式来追究侵权者的法律责任，以保护妇女的劳动权利和社会保障权利；最后，国家应该鼓励和支持社会组织来维护妇女的劳动权利和社会保障权利，作好宣传和引导工作，在全社会营造保护妇女合法权益的良好气氛。

第二十三条　各单位在录用职工时，除不适合妇女的工种或者岗位外，不得以性别为由拒绝录用妇女或者提高对妇女的录用标准。

各单位在录用女职工时，应当依法与其签订劳动（聘用）合同或者服务协议，劳动（聘用）合同或者服务协议中不得规定限制女职工结婚、生育的内容。

禁止录用未满十六周岁的女性未成年人，国家另有规定的除外。

【释义】　本条是关于妇女平等就业权的规定。

妇女平等就业权是妇女平等享有劳动权利的前提和核心内容，指妇女以与男子平等的身份，在同等录用条件下竞争就业，自主选择职业。凡具有劳动能力的妇女，不分种族、民族、性别、年龄、家庭出身、政治面目、宗教信仰和居住地区等，都有与男子平等竞争从事一定社会劳动的权利。但现实中，同等条件下，男女就业机会并不均等，妇女就业受到一定程度的限制，压低女性录用比例或提高女性录用标准，以录用为条件要求女性放弃某些正当权利，甚至拒绝录用女性等现象还存在。妇女在劳动就业方面受歧视，就业率低，经济收入不高，使得妇女社会地位不高，在经济上过于依赖男子，导致人格上难以独立。因此，本法明确规定了妇女平等就业的权利，对种种限制妇女平等就业的行为作了禁止性规定。

本条第2款为本法修改新增加的内容，规定各单位在录用女职工时，应当依法与其签订劳动（聘用）合同或者服务协议，并强调在劳动(聘用)合同或者服务协议中不得规定限制女职工结婚、生育的内容。我国《劳动法》第16条第2款规定,“建立劳动关系应当订立劳动合同”,强制规定了用人单位必须与劳动者签订劳动合同,以确立双方之间的劳动关系、明确双方权利义务内容,以具体化、书面化的合法劳动合同约束处于强势地位的用人单位,要求用人单位必须履行劳动合同约定的义务,不得随意解除合同,从而保护处于弱势地位的劳动者。本法强调用人单位负有与女职工签订劳动合同或服务协议的强制性义务,是对妇女劳动权利的具体保护内容,可以防止用人单位不与其签订劳动合同或服务协议。还应注意的是,用人单位在与女职工签订劳动合同或服务协议时,应当遵守合法原则以及平等自愿、协商一致的原则,劳动合同订立的主体、程序、形式和内容必须符合我国法律、法规的规定;在订立劳动合同过程中,双方法律地位平等,不存在命令与服从的关系,劳动合同的内容,完全基于当事人自己真实意思的表示,经过双方当事人充分协商一致而达成,绝不允许用人单位以自己的利益和意志强迫女职工签订有损于其正当权益的合同内容。

本条第3款规定了禁止录用未满16周岁的女性未成年人的原则,体现了对未成年女童权益的法律保护。未成年人正处于身体成长发育的过程中,过长时间、过度繁重和对健康有害的劳动,会对他们的身心健康造成损害,为保证未成年人的健康成长,我国法律根据未成年人的自身特点,禁止招收、录用未满16周岁的未成年人。《劳动法》第15条第1款规定:“禁止用人单位招收未满十六周岁的未成年人。”

本款规定“国家另有规定的除外”,主要是考虑到在某些特殊行业领域,如文艺、体育等,确实需要招收不满16周岁的未成年人。《劳动法》第15条第2款规定,文艺、体育和特种工艺单位招用未满16周岁的未成年人,必须依照国家有关规定,履行审批手续,并保障其接受义务教育的权利。《禁止使用童工规定》第13

条规定，文艺、体育单位经未成年人的父母或者其他监护人同意，可以招用不满 16 周岁的专业文艺工作者、运动员。按照 1992 年劳动部《关于界定文艺工作者、运动员、艺徒概念的通知》的规定，文艺工作者是指专门从事表演艺术工作的人员；运动员是指专门从事某项体育运动训练和参加比赛的人员。值得注意的是，确需招用未满 16 周岁的文艺工作者、运动员的，必须报经县级以上劳动行政部门批准。用人单位应当保障被招用的不满 16 周岁的未成年人的身心健康，保障其接受义务教育的权利。

第二十四条　实行男女同工同酬。妇女在享受福利待遇方面享有与男子平等的权利。

【释义】　本条是关于男女同工同酬原则的规定。

同工同酬是男女平等原则在经济上的具体体现，也是按劳分配原则的基本要求之一。国际劳工立法明确承认男女同工同酬原则，男女同工同酬原则也是国际通行的原则。男女同工同酬是指从事同等数量和同等质量劳动的男女，有权获得同等的报酬，它是我国宪法规定的公民基本权利之一，《宪法》第 48 条第 2 款规定："国家保护妇女的权利和利益，实行男女同工同酬，培养和选拔妇女干部。"其内涵在于报酬标准的订立不得有性别上的歧视，同等价值的工作享有同等报酬（包括福利）、平等待遇，在评定工作的表现方面享有平等待遇，不仅包括从事同种工作付出的同等数量和质量的劳动，也包括不同行业间付出的同等价值的劳动获得大体相等的报酬和待遇。支付劳动报酬，不分民族、性别、年龄，一律以劳动的数量、质量和价值计酬，劳动的数量、质量相同、价值相当，就应给付同等的报酬。

在我国，男女同工同酬原则是建立在禁止性别歧视的基础上的，但这并不等于一律取消性别特征的要求。不同的工作性质、工作环境和技术条件，对劳动者智识、体质等方面的要求也不同，由于生理和心理的特殊性，妇女并不适合所有性质的工作，即使是在相同或相似的工作岗位上，妇女也需要特殊的保护，因此，男女同工同酬必须以劳动力价值平等、正确对待男女差异、坚持男女权利平等为基础。

贯彻男女同工同酬原则具体有以下三方面的要求：

第一，任何企业、事业、机关单位的任何工作岗位，不论男女，只要付出了同等价值的劳动，就应当领取同等的报酬。

第二，不得因女职工怀孕、生育、哺乳等而降低其基本工资，也不得因为为妇女提供特殊的劳动保护而降低工资标准或减少其劳动报酬。

第三，按照男女同工同酬的原则，妇女在享受福利待遇等方面也应当与男子享有平等的权利。生活福利待遇，是为保障劳动者正常生产工作和生活所提供的必要的生活设施和福利性待遇，主要包括住房补贴、食堂、浴室、托儿所、幼儿园、俱乐部、班车和其他生活补贴等。

修改后的《妇女权益保障法》取消了有关分配住房的福利待遇的规定，主要是考虑到实际情况。随着我国住房改革的逐步推进，一般单位在住房方面已经不再进行实物分配，即住房分配作为一项福利待遇已经被取消了，住房政策正逐步实行市场化、商品化、货币化。职工在住房方面的福利待遇主要表现为住房公积金和其他住房补贴等形式，职工必须自行购买住房。

第二十五条　在晋职、晋级、评定专业技术职务等方面，应当坚持男女平等的原则，不得歧视妇女。

【释义】　本条是关于妇女晋升机会均等权利的规定。

男女晋升机会均等，是指为妇女提供与男子平等竞争职务、级别、职称等的机会。晋职、晋级是对工作能力和工作成绩通过晋升职务、提升工资级别等方式予以肯定和奖励，评定专业技术是对专业技术人员专业知识、技术水平的确认，对达到法定专业技术水平的专业技术人员，授予一定的职务。晋职、晋级、评定专业技术职务，是对劳动者能力和智识的认可，公平合理的职务、职级的晋升，能增强劳动者的主人翁责任感，鼓励其积极性和创造性，维护正常的生产和工作秩序，提高劳动效率和工作效率，促进社会主义市场经济的发展和现代化事业的建设。

不论是晋职、晋级、还是评定专业技术职务，都应坚持男女平等原则，不得歧视妇女，不得限制妇女的成长和发展，这是宪法确立的平等权和公平正义原则的直接体现，也是不断提升妇女经济地位、社会地位，实现独立自主、更好地维护自身合法权益的现实要求，因此，本法特别列出本条，有针对性地强调了妇女在晋升机会方面平等的权利。但在现实生活中，仍有不少单位和部门，不重视提拔妇女，如在同等条件下，总是优先晋升男性，以女职工怀孕、生育、哺乳等为由，压低女职工晋职、晋级比例和缩小女职工评定专业技术职务的范围，为我国女性尤其是女性知识分子的发展制造了很大的障碍。从总体情况看，女职工普遍晋升机会少，职务和技术职称低，这种现象固然与一些女职工自身文化程度较低、专业技术水平不高、缺乏竞争力等因素相关，但无疑也是重男轻女、歧视妇女不正确态度的一种表现。其实，当妇女通过自身努力而具备相应的智识和能力时，完全应当同男子一样，在晋职、晋级、评定专业技术职务方面享受平等竞争的权利，不得因性别差异而限制妇女进入高层次就业领域和决策机构。全社会应当尊重、关心女性职工尤其是女性知识分子，珍惜妇女人才，帮助、支持妇女的成长，努力改善女性职工的工作条件、生活条件和各方面的待遇，全面保障妇女的合法权益。具体而言，应当完善以下两方面的工作：

第一，在晋职、晋级、评定专业技术职务等具体方面，应当坚持同一标准，杜绝性别歧视，平等地晋升男女职工的职务和级别，不因性别差异而排斥女职工的晋职，在女性相对集中的单位，应当与性别结构成比例相适应地晋升女职工的职务；凡达到本专业技术水平的女职工都应享有与男职工平等地获得相应专业技术职务机会的权利，不得因名额限制等原因减少符合条件的女职工评定专业技术职务的比例。

第二，坚持男女晋升机会平等的原则，更为关键的一点在于提升妇女平等竞争职务、职级和工作岗位的能力和智识，这就需要大力发展教育和就业技能培训，促进女性群体发展能力与素质的提高，并且在对职工进行继续教育和在职培训方面，给予女职工与男职工平等的机会，不能剥夺、限制女职工接受教育和培训的机会和权利。只有通过教育和培训提高广大妇女的科学文化水平和职业技能，才能增强她们的就业能力和适应职业变化的能力，同时培养和锻炼女性健康的竞争意识、独立品格、创新精神、平等理念等，让她们在不带任何性别歧视的公平竞争中充分发挥潜能，实现自身的价值。

第二十六条　任何单位均应根据妇女的特点，依法保护妇女在工作和劳动时的安全和健康，不得安排不适合妇女从事的工作和劳动。

妇女在经期、孕期、产期、哺乳期受特殊保护。

【释义】　本条是关于妇女特殊劳动保护的规定。

劳动保护是指在法律、技术、设备、设施、组织制度和教育等方面所采取的一系列措施，以保障职工在生产、劳动过程中的安全和健康。除了这种普遍的劳动保护之外，对女性职工还应当实行特殊的劳动保护，即根据妇女生理特点，对其在工作、劳动中采取有别于男子的特殊的安全和健康保护措施。

妇女特殊劳动保护的具体内容是：

第一，为女职工提供安全的工作设施、工作环境和劳动保护设施。

社会和单位应当根据不同工作的性质为女职工提供符合安全标准的工作设施，创造良好的工作环境，提供相关的符合要求的劳动保护设施和条件，并保障女职工与男职工平等地享有劳动保护的条件和待遇，不得对女职工实行性别歧视。同时，单位应为女职工建立专门的劳动保护设施，女职工较多的单位，应当按照国家有关规定，以自办或联办的形式，逐步建立女职工卫生室、孕妇休息室、哺乳室、托儿所、幼儿园等设施，并妥善解决女职工在生理卫生、哺乳、照料婴儿等方面的困难。

第二，妇女禁忌从事的劳动范围。

1990 年原劳动部根据国务院《女职工劳动保护规定》第 16 条要求，发布了《女职工禁忌劳动范围的规定》，规定了女职工禁忌从事的劳动范围为以下几种：一是矿山井下作业；二是森林业伐木、归楞及流放作业；三是《体力劳动强度分级》标准中 IV 级体力劳动强度的作业，即劳动强度指数大于 25，如矿山、钢铁厂的装卸工等；四是建筑业脚手架的组装及拆除作业，以及电力、电信行业的高处架线作业；五是连续负重（指每小时负重在 6 次以上），每次负重超过 20 公斤，间断负担每次负重超过 25 公斤的作业。

第三，妇女特殊生理期间的特殊保护。

经期特殊保护。经期女职工禁忌从事的劳动范围：一是食品冷冻库内及冷水（等于或低于 12 摄氏度）等低温（工作地点平均气温等于或低于 5 摄氏度）作业；二是《体力劳动强度分级》标准中第Ⅲ级体力劳动强度的作业，即劳动强度指数大于 20 小于 25；三是《高处作业分级》标准中第Ⅱ级（含Ⅱ级）以上的作业，即在高度基准面 5 米以上（含 5 米）有可能坠落的高处进行作业的。同时，单位应抓好经期卫生知识的普及工作，并配备相关卫生设施，对患有重度痛经及月经过多的女职工给予特殊照顾，经医疗机构或妇幼保健机构确诊后，可以给予 1 ~ 2 天的休假。

孕期特殊保护。怀孕妇女禁忌从事的劳动范围是：一是作业场所空气中铅及其化合物、汞及其化合物、苯、镉、砷、氰化物、一氧化碳、二硫化碳、氯、甲醛等有毒物质浓度超过国家卫生标准的作业；二是制药行业中从事抗癌药物及己烯雌酚生产的作业；三是作业场所放射性物质超过《放射防护规定》中规定剂量的作业；四是人力进行的土方和石方作业；五是《体力劳动强度分级》标准中第Ⅲ级体力劳动强度的作业；六是伴有全身强烈震动的作业；七是需频繁弯腰、攀高、下蹲的作业；八是《高处作业分级》标准中第Ⅰ级（含Ⅰ级）以上的作业，即在高度基准面2米以上（含2米）有可能坠落的高处进行作业的。

自确立妊娠之日起，有关机构应建立孕产妇保健卡，定期进行产前检查、孕期保健和营养指导，推广孕妇家庭自我监护措施，实行高危孕妇专案管理，无诊疗条件的单位应及时转院就诊，并配合上级医疗单位和保健机构严密观察和监护。此外，根据《女职工保健工作规定》，女职工较多的单位应当建立孕妇休息室，对妊娠满7个月的女职工应给予工间休息或适当减轻工作，妊娠女职工不加班加点，怀孕7个月以上不上夜班，其中从事立位作业的女职工，其工作场所应设立工作休息座位。孕妇在预产期产前应安排休息2周。

产期特殊保护。单位有关人员应及时进行产后访视及产后保健指导，产后42天要对母子进行健康检查，产假期满恢复工作时，应允许有1~2周逐渐恢复原定额工作量。女职工产假为90天，其中产前休假15天，难产的，增加产假15天，多胞胎生育的，每多生育1个婴儿，增加产假15天。

哺乳期特殊保护。哺乳期是指婴儿从出生到1周岁之间的期间。乳母禁忌从事的劳动范围是：一是作业场所空气中铅及其化合物、汞及其化合物、苯、镉、砷、氰化物、一氧化碳、二硫化碳、氯、甲醛等有毒物质浓度超过国家卫生标准的作业；二是作业场所空气中锰、氟、溴、甲醇、有机磷化合物、有机氯化物的浓度超过国家卫生标准的作业；三是《体力劳动强度分级》标准中第Ⅲ级体力劳动强度的作业。同时，医疗保健机构应当为产妇提供科学育儿、合理营养和母乳喂养的指导；用人单位应保证足够的授乳时间，哺乳期满，经县级以上医疗保健机构确诊为体弱儿的，可适当延长授乳时间，但不得超过6个月；不得安排哺乳期妇女夜班及加班加点，乳母不得接触铅、汞、砷、苯、三硝基甲苯等有毒物质；有哺乳婴儿5名以上的单位，应建立哺乳室。

第二十七条　任何单位不得因结婚、怀孕、产假、哺乳等情形，降低女职工的工资，辞退女职工，单方解除劳动（聘用）合同或者服务协议。但是，女职工要求终止劳动（聘用）合同或者服务协议的除外。

各单位在执行国家退休制度时，不得以性别为由歧视妇女。

【释义】　本条是关于不得因结婚、怀孕、产假、哺乳等降低女职工的工资，辞退女职工，单方解除劳动（聘用）合同或者服务协议以及在执行国家退休制度时，不得以性别为由歧视妇女的规定。

客观上讲，女职工结婚、怀孕、产假、哺乳在一定程度上会影响到正常的工作，但是结婚、生育是妇女的基本权利，任何人不得以任何理由剥夺或者变相剥夺妇女的该项基本权利。各类单位作为社会的组成部分，在妇女结婚、生育阶段保护好妇女的劳动权利和劳动报酬权利是其应该承担的社会义务。我国立法一向重视对结婚、生育阶段妇女劳动权利和劳动报酬权利的保护。《劳动法》第29条第4项规定，女职工在孕期、产期、哺乳期内的，用人单位不解除劳动合同。《公务员法》第84条规定，女性公务员在孕期、产假、哺乳期内不得辞退。

所谓任何单位，是指在我国境内的任何用人单位，包括各类国家机关、社会团体、事业单位、企业、个体经济组织等，这里的企业包括国有企业、集体企业、私营企业，中国企业、中外合资企业、中外合作企业、外资企业等。所谓劳动合同，是指劳动者与用人单位确立劳动关系，明确双方权利义务的协议，劳动合同的一方主体为企业或者个体经济组织。所谓聘用合同，是劳动者与用人单位确立劳动关系，明确双方权利义务的协议，聘用合同的一方主体为事业单位。所谓服务协议，主要是指公务员与国家机关之间签订的以有关服务年限、相关权利义务为内容的协议。

在实践中，对结婚、生育阶段女职工的劳动权利、劳动报酬权利的侵害主要表现为降低工资和单方解除劳动（聘用）合同或者服务协议。对此，本条予以了明确的禁止。另外，有的单位对结婚、生育阶段的女职工行使劳动权利设置了其他种种障碍，如停止发放工资，延期调整女职工的工资和职务，减少或降低女职工的福利待遇，将其转为待聘、编余人员等，对这些严重侵害结婚、生育阶段妇女劳动权利和劳动报酬权利的行为，依照本法的精神，应该予以制止并追究有关责任人员相应的法律责任。

另外，本条第1款规定不是指在结婚、怀孕、产假、哺乳期间，用人单位一律不得辞退女职工、单方解除合同，而是说不得因结婚、怀孕、产假、哺乳等情形辞退女职工、单方解除合同。根据劳动部有关答复，结婚、怀孕、产假、哺乳期间的女职工在合同规定的试用期内发现不符合录用条件的，或者违纪的，可以辞退，但不得以女职工怀孕、休产假、哺乳为由辞退。如果女职工在孕期、产假期、哺乳期内劳动合同期满的，不能解除其劳动合同，必须延续到哺乳期满。

值得一提的是，本条主要目的是保护结婚、怀孕阶段的女职工的权利，限制用人单位。如果女职工本人自愿辞职或者单方面终止劳动（聘用）合同或服务协议的，无论是否以结婚、怀孕、生育、哺乳为理由，均不受本条规定的限制。

本条第2款规定各单位在执行国家退休制度时，不得以性别为由歧视妇女。这主要是指以下两种情形：第一，在执行国家有关退休年龄的规定时,用人单位不得任意要求女职工提前退休,即不执行女性55周岁退休的规定,但是女职工同意的除外;第二,女职工应享有与男职工同等的福利待遇,不能因为男女退休年龄的不一致而使得女职工的福利待遇低于男职工,如果实践中已经有了这样不平等的规定,要给予相应的补偿。

第二十八条　国家发展社会保险、社会救助、社会福利和医疗卫生事业,保障妇女享有社会保险、社会救助、社会福利和卫生保健等权益。

国家提倡和鼓励为帮助妇女开展的社会公益活动。

【释义】　本条是关于妇女依法享有社会保障的规定。

目前我国正在建立具有中国特色的新型社会保障体系,按照资金的筹集方式和保障目标分类,可以分为三类:一是有国家立法强制实施,由三方或双方承担资金的社会保险和住房保障,具体包括养老保险、失业保险、医疗保险、生育保险、工伤保险、住房保障等;二是由国家财政支撑的社会保障项目,包括社会救助、优抚安置、社会福利、社区保障等;三是遵循自愿原则,以营利为目的的商业保险,这是社会保险的最重要的补充。

所谓"社会保险",是指以国家和社会为主体,依法设立保险基金,在公民年老、患病、生育、伤残、死亡等暂时性或永久丧失劳动能力,以及因失业中断劳动而失去收入来源时,由社会给予物质帮助和补偿的一种社会保障制度。所谓"社会救助",是指国家按照法定的标准,向不能保持最低限度生活水平的公民,提供满足其最低生活水平的物质援助。社会救助包括自然灾害救济、孤寡病残救济、城市困难户救济和失业破产救济。所谓"社会福利",在我国专指为社会弱者所提供的带有福利性质的社会服务和保障。在我国,社会福利主要由民政部门来管理,包括城市社会福利院、乡镇敬老院、光荣院、残疾儿童福利院、精神病院、SOS儿童村等。

"卫生保健"是一个内涵非常广泛的概念，主要是为解决群众的基本医疗和预防保健问题，努力控制危害严重的传染病、地方病，使广大群众享受到与经济社会发展相适应的基本卫生保健服务，不断提高群众的健康水平和生活质量。我国已经发布了《我国农村实现"2000 年人人享有卫生保健"的规划目标（试行）》《中国农村初级卫生保健发展纲要（2001—2010 年）》等文件。

我国的社会保障体系正在建立的过程中，不仅要保障妇女和男子平等地享有社会保障的权利，更要把一些专门针对妇女的社会保障制度建立好、执行好。根据国务院《关于印发中国妇女发展纲要和中国儿童发展纲要的通知》规定，进一步完善社会保障体系，积极推动在不同所有制经济实体就业的、不同收入层次的妇女按照国家规定参加社会保险，确保妇女在参与经济发展中接受有效服务。主要包括妇女享有与男子平等参加城镇职工基本养老保险、基本医疗保险、失业保险、工伤保险、生育保险的权利；普遍建立城镇职工生育保险制度，完善相关配套措施，切实保障女职工生育期间的基本生活和医疗保健需求；为妇女劳动就业提供信息、服务和培训。加强公共职业介绍机构对妇女的职业指导、职业介绍等就业服务。开展有针对性的就业培训，提高妇女的就业能力；为残疾妇女提供就业服务和职业技能培训，提高残疾妇女的就业比例；鼓励和支持社会团体开展有利于提高妇女劳动生产技能的各项培训活动等。

根据《人口与计划生育法》《企业职工生育保险试行办法》等规定，妇女享有免费提供的国家规定的计划生育技术服务如孕情、环情监测、放置和取出宫内节育器及技术常规所规定的各项医学检查、输卵管结扎及技术常规规定的各项医学检查、计划生育手术并发症诊治、生育保险等。

本条的规定，不仅是对我国承诺的国际公约义务的履行，更是为妇女享受与男子平等的社会保障以及特殊的社会保障提供了法律依据，将会对妇女享受平等的社会保障起到积极的推动作用。

另外，帮助妇女不仅是国家的责任，也是社会的义务。国家应该积极地为帮助妇女开展各项社会公益活动，同时对非政府组织开展的以帮助妇女为目的的各项社会公益活动也要加以提倡、鼓励和支持。目前，有关帮助妇女的各项社会公益活动包括捐助、宣传、扶持等形式。在有关部门的支持下，全国妇联开展了“母亲健康快车”等项目，在 51 个艾滋病综合防治示范区开展以“预防艾滋病，健康全家人”为主题的妇女“面对面”宣传教育活动。中国计划生育协会在全国大中学校和流动青少年中广泛开展以同伴教育为主的预防性病和艾滋病项目等。各级妇联在近年开展了小额信贷、连环脱贫、劳务输出、拉手结对及东西互助等为主要内容的巾帼扶贫行动。中国人口福利基金会开展了以救助贫困母亲为宗旨的幸福工程，募集资金帮助贫困母亲参与经济和社会发展，提高健康和文化水平。

第二十九条　国家推行生育保险制度，建立健全与生育相关的其他保障制度。

地方各级人民政府和有关部门应当按照有关规定为贫困妇女提供必要的生育救助。

【释义】　本条是关于生育保险、生育保障、生育救助的规定。

所谓“生育保险”，是指妇女劳动者因生育或者计划生育而暂时丧失劳动能力时，社会给予必要的物质帮助的一种社会保障制度，是专门为合法生育的妇女劳动者建立的一种社会保险。根据《企业职工生育保险试行办法》规定，生育保险根据“以支定收，收支基本平衡”的原则筹集资金，由企业按照其工资总额的一定比例向社会保险经办机构缴纳生育保险费，建立生育保险基金。生育保险费的提取比例由当地人民政府根据计划内生育人数和生育津贴、生育医疗费等项费用确定，并可根据费用支出情况适时调整，但最高不得超过工资总额的1%。职工个人不缴纳生育保险费。生育保险包括三项：产假期间的生育津贴；生育的检查费、接生费、手术费、住院费和药费；生育出院后，因生育引起疾病的医疗费等，其中生育津贴按照本企业上年度职工月平均工资计发。

根据《劳动法》《人口与计划生育法》《母婴保健法》《女职工劳动保护规定》《劳动保险条例》《关于女工作人员生产假期的通知》等法律法规的规定，与生育有关的社会保障除了生育保险外，还包括生育休假，生育补助、独生子女生育假奖励、独生子女的父母护理假、独生子女费等。根据本条的规定，我国不仅要建立与生育有关的社会保障制度，还要健全这些社会保障制度。

以是否就业为标准，妇女可以分为职业妇女和家庭妇女。由于各种原因，我国现行的生育保障制度只能涵盖城镇职业妇女。生育救助主要是针对没有享受生育保障的贫困妇女，还包括一些没有真正享受生育保障的贫困妇女。2000年至2005年，我国政府投资了6亿元在378个国家级贫困县实施"降低孕产妇死亡率和消除新生儿破伤风"项目，通过积极改善乡镇卫生院接生条件，开辟孕产妇急救绿色通道，实行贫困孕产妇救助等措施，对贫困妇女进行生育救助。

第五章　财 产 权 益

第三十条　国家保障妇女享有与男子平等的财产权利。

【释义】　本条是关于国家保障妇女享有与男子平等的财产权利的总的规定。

国家保障妇女享有与男子平等的财产权利,既是男女平等原则的体现,也是保障实现男女平等原则的物质基础。本条强调了由国家保障妇女享有平等的财产权利,换言之,保障妇女享有与男子平等的财产权利是国家的义务。我国一向重视对妇女平等财产权的保护,在已有的立法中,对妇女平等财产权的保护已经有了相应规定。我国《宪法》第 48 条规定,中华人民共和国妇女在政治的、经济的、文化的、社会的和家庭的生活等各方面享有同男子平等的权利。该条中经济的、家庭的生活方面包括了财产权利。《民法通则》第 105 条规定,妇女享有同男子平等的民事权利。民事权利包括财产权利和人身权利。《继承法》第 9 条规定,继承权男女平等。继承权主要是对财产的继承,可以视为广义上的财产权范围。《婚姻法》第 17 条规定,夫妻对共同所有的财产,有平等的处理权。行政领域和司法领域,都必须依照法律办事,因此在立法中对妇女平等的财产权利予以保护了,行政机关和司法机关自然也要承担起保护妇女财产权的责任。

一、财产权利的含义

财产权是相对于人身权而言的,是民事主体所享有的一定物质内容并直接体现为经济利益的权利,包括物权、债权、继承权、知识产权以及婚姻财产权、劳动财产权等。财产权可以由民事法律关系产生，也可以由婚姻、劳动等法律关系产生，如由婚姻法律关系产生的夫妻间的财产权、由劳动法律关系产生的劳动报酬权等。总之，财产权是一定社会的物质资料占有、支配、流通与分配关系的法律表现，因社会制度不同而有不同的性质与内容。

我国《宪法》第 13 条规定，国家保护公民的合法的收入、储蓄、房屋和其他合法财产的所有权。因此财产权是宪法赋予所有公民的一项十分重要的经济权利，是公民行使其他权利和自由的物质基础，也是国家发展社会主义市场经济的物质基础。

二、保障妇女享有与男子平等的财产权利

本条不是单纯地从保护妇女的财产权利层面规定的，本条的重点在于平等保护妇女的财产权利，这里的平等是相对于男子而言的。因此，诸如如何保护公民，包括妇女和男子的一些特殊财产权利等问题，并不是本条所要规范的内容。

强调要保障妇女享有与男子平等的财产权利的背景是，在现实生活中，男女两性的社会地位、家庭地位还存在一些差别，与男子相比，妇女还处于弱势地位；重男轻女的传统观念和习惯势力短期内不可能完全消除；尽管法律法规规定了男女都能享有财产权利，但实际上男子享有了，而妇女没有或者只是部分享有。经济能力是一切问题的基础，只有保障妇女享有与男子平等的财产权利，才能提高妇女在社会和家庭中的地位，从而真正实现男女平等。妇女只有享有与男子平等的财产权利，才可能以独立的身份参与国家和社会的政治生活，管理国家事务、经济和文化事务、社会事务等；才能实现其接受文化教育的权利，提高文化水平，并积极投身于科学技术研究、文学艺术创作以及其他文化活动中；才能为实现婚姻自由、一夫一妻、男女平等和保护妇女合法权益创造条件；才能使妇女更为充分地实现劳动权利。

本条是对妇女财产权平等保护的总的规定。本章的其他条文中规定了保障妇女的家庭财产共有权、农村土地使用权及相关权利、继承权等，对这些权利的保护是目前在实践中比较突出的问题，除此之外，本法没有列举的财产权的平等保护可以适用本条的规定。

第三十一条　在婚姻、家庭共有财产关系中，不得侵害妇女依法享有的权益。

【释义】　本条是关于保障在婚姻、家庭共有财产关系中，不得侵害妇女合法权益的规定。

一、关于共有

我国《民法通则》第78条规定，财产可以由两个以上的公民、法人共有。共有是指两个或两个以上的民事主体对同一项财产共同享有所有权。共有财产是指该财产的所有权由两个或者两个以上的民事主体共有的财产。在理论上，共有分为按份共有和共同共有。按份共有是指两个或者两个以上的公民、法人对同一项财产按照各自的份额共同享有所有权，一般是依据当事人的约定或者法律规定而产生的；共同共有是指两个或者两个以上的公民对于全部财产都享有平等的所有权，即每个共同共有人对于全部财产不分份额地享有权利和承担义务。

二、关于婚姻、家庭共有财产

婚姻共有财产与家庭共有财产都属于典型的共同共有，但是两个是不同的概念。夫妻共有财产是根据《婚姻法》规定的夫妻共同财产制而形成的。除了另有约定的之外，夫妻在婚姻关系存续期间所得的财产为夫妻共同所有。夫妻共有的财产包括夫妻一方或者双方劳动所得的收入和积累、购置、受赠的财产等。婚前个人所有的财产以及双方自愿约定为一方所有的财产，不在共同共有财产的范围之内。家庭共同共有是指根据家庭成员在共同生活期间因共同劳动、共同积累等而形成的共有。

共同共有财产的特点是所有共有人对共有财产都不分份额、平等地享有所有权，每个共有人的权利没有大小、多少之分。除非法律另有规定或者共有人之间另有约定的，对共同共有财产的使用、收益和处分，应该取得全体共有人的同意，任何家庭成员都不得随意处分属于共同共有的财产。

三、对婚姻、家庭共有财产中妇女合法权益的保护

在婚姻、家庭共有财产中妇女的合法权益表现为：妇女对共有财产享有与男子同样的权利，男子在使用、收益和处分共有财产时，必须取得妇女的同意。在婚姻、家庭共有财产关系终止时，妇女享有与男子同等份额的财产权，男子不得隐匿共有财产。

由于男子在社会生活中占有比较重要的地位，其往往是家庭的主要经济来源。在实践中，相比于男子，婚姻、家庭共有财产中妇女的合法权益比较容易受到侵害。在传统思想和现实经济地位的影响下，主要有以下几种侵害婚姻、家庭共有财产中妇女合法权益的情形：第一，丈夫及其亲属或者男性家庭成员妨碍、干涉妻子或者女性家庭成员依法平等行使对夫妻共有财产和家庭共有财产的占有、使用、收益和处分的权利；第二，丈夫或者男性家庭成员未征得妻子和女性家庭成员的同意，单方占有、使用、收益和处分夫妻共有财产和家庭共有财产；第三，在夫妻离婚处理夫妻共同财产时，侵害女方的共有财产权；第四，由于家庭共有财产属于共同共有，共有人都没有明确的份额，因此在分家析产时，容易发生不给或者减少女性家庭成员应得份额的情形；第五，在女儿出嫁时，侵害其家庭财产共有权；第六，在丈夫去世后处理遗产时，将夫妻共同财产作为被继承人的遗产进行分割，侵害被继承人妻子的财产所有权。

本条是对婚姻、家庭共有财产中妇女合法权益保护的正面表述，表明任何侵害婚姻、家庭共有财产中妇女合法权益的行为都是违法行为。对这些违法行为，本法还规定了救济途径，妇女可以要求有关部门依法处理，或者依法向仲裁机构申请仲裁，或者向人民法院起诉。侵害人主要承担的是民事责任。

第三十二条　妇女在农村土地承包经营、集体经济组织收益分配、土地征收或者征用补偿费使用以及宅基地使用等方面，享有与男子平等的权利。

【释义】 本条是关于妇女享有与男子平等的农村土地承包经营、集体经济组织收益分配、土地征收或者征用补偿费使用、宅基地使用等权利的规定。

一、妇女享有与男子平等的农村土地承包经营权

《农村土地承包法》第 3 条规定，国家实行农村土地承包经营制度。

第 6 条规定，农村土地承包，妇女与男子享有平等的权利。承包中应当保护妇女的合法权益，任何组织和个人不得剥夺、侵害妇女应当享有的土地承包经营权。根据本条规定，集体经济组织在发包土地时，应当按照家庭人口数额不论男女来确定承包土地的份额。不能因为是妇女而不许其承包土地，也不能因为是妇女而不分配给其应有承包地份额。

对非法剥夺、侵害农村妇女依法享有的土地承包经营权的，受侵害的妇女可以向发包方如村集体经济组织、村委会或者村民小组主张自己的权利；也可以向农村土地承包仲裁机构申请仲裁；还可以直接向人民法院起诉，要求侵权方承担停止侵害、恢复原状、排除妨害、赔偿损失等民事责任，以维护自己承包土地的合法权益。

二、妇女享有与男子平等的集体经济组织收益分配权

在一些发达地区的农村，由于土地集中开发使用的程度较高，很多农村集体经济组织将土地出租或者作为股份投资而取得相应的收益。还有一些地方从集体经济组织的收益中提取相应比例的金额，用于农村的集体福利。农村的集体福利也属于集体经济组织收益的分配，其包括农村集体合作医疗，养老保险，独生子女保险，子女入托、入学等福利。

对于集体经济组织收益，妇女应该享有与男子平等的分配权，任何侵害妇女的集体经济组织收益平等分配权的行为都应该被及时制止。

三、妇女享有与男子平等的土地征收或者征用补偿费使用权

《土地管理法》第 47 条规定，征用土地的，按照被征用土地的原用途给予补偿。征用耕地的补偿费用包括土地补偿费、安置补助费以及地上附着物和青苗的补偿费。土地补偿费是因国家征用土地对土地所有者和土地使用者对土地的投入和收益造成损失的补偿。补偿的对象包括土地所有权人和使用权人。安置补助费是为了安置以土地为主要生产资料并取得生活来源的农业人口的生活所给予的补助费用。地上物的补偿费，包括地土地下的各种建筑物、构筑物如房屋、水井、道路、地土地下管线、水渠的拆迁和恢复费用，被征用土地上林木的补偿或砍伐费等。青苗补偿费，是指农作物正处于生长阶段而未能收获的，因征用土地需要及时让出土地而致使农作物不能收获而使农民造成损失的，应当给予土地承包者或土地使用者以经济补偿。土地补偿费是给予土地所有者和使用者因投入而造成损失的补偿，应属于土地所有者和使用者所有。安置补助费是用于被征地单位群众的生活安置的，应当用于被征用土地的使用者或承包经营者的生产、生活安置。地上物、青苗等补偿费属于地上物、青苗的所有者所有。尽管土地补偿费和安置补助费一般不能直接分配给个人，但个人有使用权，妇女对土地征用补偿费享有与男子平等的使用权。

根据 2005 年最高人民法院《关于审理涉及农村土地承包纠纷案件适用法律问题的解释》的规定，对于承包地征收补偿费用分配纠纷，人民法院应当依法受理。承包地被依法征收，承包方请求发包方给付已经收到的地上附着物和青苗的补偿费的，人民法院应予支持。承包地被依法征收，放弃统一安置的家庭承包方，请求发包方给付已经收到的安置补助费的，人民法院应予支持。农村

集体经济组织或者村民委员会、村民小组,可以依照法律规定的民主议定程序,决定在本集体经济组织内部分配已经收到的土地补偿费。征地补偿安置方案确定时已经具有本集体经济组织成员资格的人,请求支付相应份额的,人民法院应予支持。但已报全国人大常委会、国务院备案的地方性法规、自治条例和单行条例、地方政府规章对土地补偿费在农村集体经济组织内部的分配办法另有规定的除外。

四、妇女享有与男子平等的宅基地使用权

宅基地顾名思义是农村中村民住宅的建设用地,按照《土地管理法》的规定,每户农村村民只能在一个地方拥有一处宅基地。妇女享有与男子平等的宅基地使用权包括两层含义:第一是妇女与男子村民享有平等的宅基地使用权,妇女依法申请宅基地时,必须对男子与妇女的申请公平对待,平等处理,保证平等地取得宅基地使用权,不得对依法申请宅基地的妇女不予批准,也不得在宅基地位置、地点的选择上歧视妇女。第二是妇女享有的宅基地标准应该与男子相同,宅基地的大小根据省、自治区、直辖市规定的标准,以每户人数来定。在分配宅基地使用权时,应该保障妇女享有与男子平等的权利,妇女享有的宅基地的标准不得低于男子的标准,更不能以各种理由剥夺妇女的宅基地使用权。

近年来,在一些发达地区,特别是在城乡结合部,宅基地已经是一项重要的福利,包含着很大的经济利益,很多地方在宅基地分配方面采取了男女不平等的政策,这种情况是本法所严格禁止的。

第三十三条　任何组织和个人不得以妇女未婚、结婚、离婚、丧偶等为由,侵害妇女在农村集体经济组织中的各项权益。

因结婚男方到女方住所落户的,男方和子女享有与所在地农村集体经济组织成员平等的权益。

【释义】 本条是关于不得因妇女婚姻状况的变化而侵害妇女合法权益，以及保护因结婚男方到女方住所落户情况下男方和子女平等权益的规定。

一、不得以妇女婚姻状况的变化而侵害妇女在农村集体经济组织中的各项权益

根据我国《婚姻法》的规定，婚姻状况包括未婚、结婚、离婚、丧偶、再婚等。未婚是指从没有结过婚的情况。结婚又称婚姻的缔结，是男女双方按照法律的条件和程序确定夫妻关系的一种法律行为。离婚是指在配偶生存期间解除婚姻关系的法律手段，是终止婚姻关系的一种形式。丧偶是指在婚姻存续期间，配偶一方死亡，丧偶是婚姻关系结束的方式之一。

一般来说，妇女权益最容易受损害的是婚姻状况发生了变化的情形。有些人主张女儿是迟早要嫁出去的，因此以女性未婚为由，拒绝承认其土地承包等合法权利。一些地方对妇女婚嫁以后的土地权益采取漠视的态度，如有的地方实行增人不增地的政策，妇女出嫁以后在娘家的户口和土地权益被取消，而在婆家那里却得不到补偿；有的地方妇女离婚后，其责任田、口粮田、宅基地使用权得不到保障，离婚或者丧偶的妇女回到娘家，难以在娘家再分得土地等。妇女在婚姻状况发生变化时，因各地的情况不同，受到侵害的权利的种类也有不同。

妇女因为婚姻状况发生变化而致使在农村集体经济组织中的各项权益受损的最为突出的例子是外嫁女问题。所谓外嫁女，主要是指嫁到外村、外镇、外县，但出嫁后户口仍在原户籍地的这部分农村妇女。具体而言，形成外嫁女现象的原因主要有以下四种：第一，富裕地方的农村妇女出嫁到相对较穷的农村，不愿意将户口迁出的；第二，农村妇女出嫁到城市或者港澳地区，由于户籍管理的限制而不能迁出的；第三，结婚后男方到女方落户的；第四，因离婚、丧偶等原因，户口已经迁出的农村妇女将户口重新迁回原户籍

地的。有的外嫁女丧失了土地承包权、宅基地分配权,有的尽管仍保留了土地承包权、宅基地分配权、征地补偿款分配权,但限于村规民约的规定,不能享受股份分红权、集体福利权。

在农村中,侵害妇女的土地承包等权利的主要是村民大会、村民委员会。由于农村集体经济组织的可分配物质是有限的,出于经济利益的考虑,同时又有传统观念的影响,一些村民不同意已经嫁出本村的妇女或者丧偶、离婚的妇女也享受集体经济组织的利益,很多侵害农村妇女合法权益的措施都是在农村村民大会通过的乡规民约中规定的。村民委员会成员往往迫于村民的压力,对婚姻状况发生变化妇女的合法权益也主张加以剥夺或者限制。对于这个问题,各地正在依法解决过程中,本条的规定将为维护农村妇女在农村集体经济组织中平等地享有各项权益,解决农村外嫁女问题提供直接的法律依据。

二、因结婚男方到女方住所落户的,男方和子女享有与所在地农村集体经济组织成员平等的权益

我国《婚姻法》第 9 条规定,登记结婚后,根据男女双方约定,女方可以成为男方家庭的成员,男方可以成为女方家庭的成员。男方成为女方家庭的成员,俗称入赘。因结婚男方到女方住所落户的,即是指入赘。在我国传统的婚姻制度下,一般是男嫁女娶,女到男方,如果是男方到女方家落户,男方往往被社会看不起。特别是在农村中,对入赘男子及其子女的歧视仍时有发生,如不给予其所在地农村集体经济组织成员的权益,或者分配权益时打折扣等。根据男女平等原则,因结婚男方到女方住所落户的,男方和子女应该享有与所在地农村集体经济组织成员平等的权益,任何组织和个人都不得予以歧视。在本法审议过程中,有的同志提出,本法是妇女权益保障法,而本条第 2 款讲的是对男子及其子女的保护,应该将本款删去。考虑到对入赘男子及其子女的合法权益的保护,直接影响到女方的合法权益和生活水平,因此将本款也可以

看作是对妇女的保护，放在本法中规定，不仅有极强的现实针对性，也与本法的主旨相符合。

第三十四条　妇女享有的与男子平等的财产继承权受法律保护。在同一顺序法定继承人中，不得歧视妇女。

丧偶妇女有权处分继承的财产，任何人不得干涉。

【释义】　本条是关于妇女享有与男子平等的财产继承权的规定。

继承主要是对财产的继承，因此财产继承权与继承权是两个相同的概念。所谓财产继承权是指继承人按照法律的规定取得死者生前财产的权利，是公民个人合法财产所有权的必然延伸。

妇女享有与男子平等的财产继承权是男女平等宪法原则在财产继承方面的体现，我国《继承法》第 9 条规定，继承权男女平等。继承可以分为法定继承与遗嘱继承两类。所谓法定继承，是指根据法律直接规定的继承人的范围、继承人继承的先后顺序、继承人继承的遗产份额以及遗产的分配原则来继承被继承人遗产的一项法律制度。遗嘱继承是指继承开始后，继承人按照被继承人的合法有效的遗嘱继承被继承人遗产的法律制度。根据继承人在法定继承中的地位不同，可以将法定继承划分为：本位继承、代位继承和转继承。本位继承是指继承人基于自己的继承地位、顺序和应继份额而继承，如子女继承已故父母遗产。代位继承是指被继承人的子女先于被继承人死亡或者宣告死亡，由被继承人的子女的晚辈直系亲属代替其已故的父亲或者母亲的继承地位、继承顺序而继承其父亲或者母亲应当继承的遗产份额，如孙子女可以代替已故的父亲或者母亲，继承祖父母或外祖父母的遗产。转继承是指继承人在被继承人死后不久也相继死亡，因而未能实际取得被继承人的遗产，而由继承人的继承人间接地继承被继承人的遗产。转继承的范围不限于被继承人子女的晚辈直系血亲。在本条中重点在于“平等”两字，妇女享有与男子平等的财产继承权主要发生在法定继承中，在遗嘱继承、代位继承和转继承中也有发生；其平等的财产继承权主要体现为三个层面：继承人的范围、继承的先后顺序和继承的遗产份额等。

第一，在法定继承中，妇女享有平等的财产继承权。根据《继承法》的规定，享有继承权的有配偶、子女、父母、兄弟姐妹、祖父母、外祖父母、丧偶儿媳、丧偶女婿等，从继承人的范围上看，妇女与男子是完全平等的。法定继承的第一顺序为：配偶、子女、父母；第二顺序为：兄弟姐妹、祖父母、外祖父母。在每个继承顺序等级中，妇女与男子也是完全平等的。同一顺序继承人继承遗产的份额，一般应当均等。这表明在继承的遗产份额上也是男女平等的。

第二，在遗嘱继承中，继承人是由被继承人指定的，这种指定是由被继承人在继承人中任意选定的，因此谈不上男女平等的问题。在遗嘱继承中，妇女享有平等的继承权主要表现为两个方面：一是指定继承人时，既可以指定男性继承人，也可以指定女性继承人；二是在指定继承人为多人，且没有明确继承顺序和份额的情形下，根据男女平等的原则，妇女有取得与男子相同份额的遗产的权利。

第三，在代位继承中，妇女的平等财产继承权体现为两个方面：一是被继承人的女儿的晚辈直系亲属可以成为代位继承人，如果被继承人还有儿子，那么被继承人的女儿和儿子的晚辈直系亲属享有同等的财产继承权；二是被继承人的子女的晚辈直系亲属既可以是男性，也可以是女性，如果既有男性又有女性的，那么女性享有与男性平等的财产继承权。

第四，在转继承中，妇女享有同等的财产继承权也体现为两个方面：一是继承人是妇女的，不影响转继承的成立；二是继承人的继承人既可以是男性，也可以是女性，女性与男性享有平等的财产继承权。

第五，在适用其他继承规则时，男女平等。如对生活有特殊困难的缺乏劳动能力的继承人，分配遗产时，应当予以照顾。对被继承人尽了主要扶养义务或者与被继承人共同生活的继承人，分配遗产时，可以多分。有扶养能力和有扶养条件的继承人，不尽扶养义务的，分配遗产时，应当不分或者少分。这里所讲的继承人是不分男女的，妇女享有与男子平等的财产继承权。

上述妇女享有的平等财产继承权为法定权利，任何组织和个人都不得侵害，否则要承担法律责任。在实践中，受封建宗法思想的影响，还有一些侵害妇女享有与男子平等的财产继承权的现象，本条主要针对两类比较突出的情形作了规定，除此之外，还有另外一些违法情形，对这些违法情形，应该坚决予以消除。

第一，在同一顺序法定继承人中，不得歧视妇女。

在同一顺序法定继承人中，如在第一顺序继承人中，妻子、儿子、女儿、父、母的财产继承权是平等的，不得相互排斥，更不得歧视妇女。妇女无论已婚还是未婚，均有与男子平等的财产继承权。妇女无论是参加社会工作，还是从事家务劳动，均有与男子平等的财产继承权。

第二，丧偶妇女在处分继承的财产时，任何人不得干涉

根据《继承法》的规定，丧偶妇女是第一顺序继承人，可以继承亡夫的遗产，任何人都无权干涉丧偶妇女的遗产继承权以及对所取得遗产的处分权。《继承法》还规定，夫妻一方死亡后另一方再婚的，有权处分所继承的财产，任何人不得干涉。实践中，干涉丧偶妇女处分继承财产的行为主要发生在丧偶妇女再婚的情形下。有的人错误地认为，寡妇守志继续留在夫家照料公婆和子女，可以继承亡夫的遗产，如果改嫁，那就不能继承遗产。干涉丧偶妇女处分继承的财产，不仅直接违反了我国《继承法》的明文规定，而且也侵害了妇女再婚的人身权利，因此必须严格禁止。

第三十五条　丧偶妇女对公、婆尽了主要赡养义务的，作为公、婆的第一顺序法定继承人，其继承权不受子女代位继承的影响。

【释义】　本条是关于丧偶妇女作为第一顺序法定继承人的规定。

我国《婚姻法》规定子女对父母有赡养扶助的义务，有负担能力的孙子女、外孙子女，对于子女已经死亡或子女无力赡养的祖父母、外祖父母，有赡养的义务，但没有规定儿媳对公、婆有赡养的义务。在《继承法》中，儿媳一般也没有对公、婆的继承权。但在现实中，有些儿媳不仅在丧偶前与配偶共同赡养公、婆，而且在丧偶后甚至是再婚后仍对公、婆尽主要赡养义务，为肯定和鼓励这种美德，我国《继承法》第12条规定，丧偶儿媳对公、婆，丧偶女婿对岳父、岳母，尽了主要赡养义务的，作为第一顺序继承人。

一、丧偶妇女作为第一顺序法定继承人的前提是对公、婆尽了主要赡养义务

根据1985年最高人民法院《关于贯彻执行〈中华人民共和国继承法〉若干问题的意见》第30条的规定，对被继承人生活提供了主要经济来源，或在劳务等方面给予了主要扶助的，应当认定其尽了主要赡养义务或主要扶养义务。丧偶妇女对公、婆尽了主要赡养义务，一般有两种情况：一是为公、婆的生活一直提供了主要经济来源，即付了较多的赡养费，直至公、婆死亡的；二是在生活上给予公、婆必需的帮助和关心，在饮食起居、拆洗缝补、看病护理等方面付出较多的劳务，在精神上给公、婆以较多的抚慰。只要以其中一种方式尽了主要赡养义务的，丧偶妇女就可以作为第一顺序法定继承人。

二、丧偶妇女的第一顺序法定继承人地位不受子女代位继承的影响

代位继承是指被继承人的子女先于被继承人死亡时，由被继

承人子女的晚辈直系血亲代替先亡的长辈直系血亲继承被继承人遗产的法律制度。代位继承人一般只能继承他的父亲或者母亲有权继承的遗产份额。

有的同志认为,丧偶妇女的公、婆死亡时,丧偶妇女的子女有权代替先亡的父亲代位继承祖父母的遗产,在这种情况下,就没有必要再允许丧偶妇女继承公、婆的遗产了。实际上丧偶妇女对公、婆遗产的继承权与子女代位继承权是两个独立的继承权,相互不影响各自的成立。丧偶妇女对公、婆遗产的继承权是建立在尽了主要赡养义务基础上的,而子女的代位继承权则是建立在血缘基础上的。同时丧偶妇女对公、婆继承权与她们是否再婚无关,不能以丧偶儿媳再婚为由,排斥、否认她们的继承权。1985 年最高人民法院《关于贯彻执行〈中华人民共和国继承法〉若干问题的意见》第 29 条规定,丧偶儿媳对公、婆,丧偶女婿对岳父、岳母,无论其是否再婚,依《继承法》第 12 条规定作为第一顺序继承人时,不影响其子女代位继承。

第六章　人 身 权 利

第三十六条　国家保障妇女享有与男子平等的人身权利。

【释义】 本条是关于国家保障妇女享有与男子平等的人身权利的总的规定。

完整的人身权利概念是民法上的概念,是指民事主体依法享有的,以在人格关系和身份关系上所体现的,与其自身不可分离的利益为内容的民事权利。人身权利由人格权与身份权两个系列的民事权利组成。人格权分为物质性人格权和精神性人格权,物质性人格权包括生命权、身体权、健康权和劳动能力权;精神性人格权包括姓名权、肖像权、荣誉权、名誉权、隐私权、贞操权等。身份权包括配偶权、亲权和亲属权。在本法中,除了人身权利之外,还专章规定对妇女财产权益、婚姻家庭权益的保护,因此本条中的人身权利主要是指人格权。

我国法律对人身权利的保护是不分性别、年龄、民族、职业、家庭出身、宗教信仰、教育程度、财产状况的。法律对妇女和男子的人身权利给予同等保护。本条中强调的保障妇女享有与男子平等的人身权利,可以分为两层理解:一是对妇女享有的人身权利,立法机关、司法机关、行政机关以及其他组织要给予与男子同等的保护。如公安机关在处理涉及侵犯妇女人身权利的治安案件时,要一视同仁,不得歧视妇女;人民法院在审理人身权利民事案件时,对妇女的起诉权和财产赔偿权要给予平等的保护等。二是对于一些仅针对或者主要针对妇女人身权利实施的违法行为,以及由于生理特点等原因,妇女人身权利更容易受到侵害的情形,如拐卖妇女、组织卖淫等，国家要采取相对男子更为严格的保护，只有加强了保护，才能从实质上实现对妇女人身权利的平等保护。

本章的其余部分主要针对一些比较严重且发生率高、社会反映强烈的侵犯妇女人身权利的情形作了规定，主要有：一是妇女的人身自由不受侵犯，人身自由是从事其他各项活动的基本前提，实践中侵犯妇女人身自由的行为有拐卖、绑架妇女，干涉、阻挠妇女参加社会活动等；二是妇女的生命健康权不受侵犯，这是最重要的人身权利，实践中，侵害妇女生命健康权的行为有残害、伤害妇女，溺、弃、残害女婴等；三是妇女的身心健康不受侵犯，实践中侵害妇女身心健康的行为有组织、强迫、引诱、容留妇女卖淫，对妇女进行猥亵，对妇女实施性骚扰，虐待妇女等；四是妇女的人格名誉不受侵犯，实践中侵犯妇女人格尊严的行为有侮辱、诽谤妇女，非法使用妇女肖像等。

第三十七条　妇女的人身自由不受侵犯。禁止非法拘禁和以其他非法手段剥夺或者限制妇女的人身自由；禁止非法搜查妇女的身体。

【释义】　本条是关于妇女人身自由不受侵犯的规定。

一、妇女的人身自由不受侵犯

人身自由有广、狭义之分，狭义的人身自由是指人的身体自由；广义的人身自由除了身体自由外，还包括人格尊严不受侵犯、住宅不受侵犯、迁徙自由、通信自由和通信秘密受法律保护等。本条中规定的人身自由是狭义的人身自由，是指妇女依法享有的按照自己的意愿支配其人身和行动的权利，任何组织和个人都不得非法加以限制和侵犯。

人身自由是公民一项十分重要的基本权利，是公民行使其他一切权利和自由的基础，是公民享受其他各项权利和承担各项义务、参加管理国家事务、从事各项社会活动的前提条件。我国《宪法》第37条规定，中华人民共和国公民的人身自由不受侵犯。任何公民，非经人民检察院批准或者决定或者人民法院决定，并由公安机关执行，不受逮捕。禁止非法拘禁和以其他方法非法剥夺或者限制公民的人身自由，禁止非法搜查公民的身体。由此可见，人身自由是一项重要的宪法权利，任何组织和个人都不得非法剥夺或者限制任何公民的人身自由，包括不得剥夺或者限制男子的人身自由，也包括不得剥夺或者限制妇女的人身自由。本条中规定妇女的人身自由不受侵犯，主要是为了更好地保障妇女依法与男子平等地参与各项社会活动，管理国家事务和社会事务，实现妇女在政治、经济、文化、社会和家庭等领域中的合法权益。

二、为保证妇女的人身自由不受侵犯的禁止性规定

实践中，侵犯妇女人身自由的非法行为主要有三类，即非法拘禁妇女和以其他非法手段剥夺妇女的人身自由、以其他非法手段限制妇女的人身自由、非法搜查妇女的身体，本条对这三类非法行为作了列举，并予以了禁止。

（一）禁止非法拘禁妇女和以其他非法手段剥夺妇女的人身自由

拘禁行为的方法有多种，如捆绑、关押、扣留等，拘禁行为的本质是强制剥夺他人的人身自由。拘禁行为有合法与非法之分，根据法律的规定，对特定公民实施拘禁行为属于合法拘禁。如根据《刑事诉讼法》的规定，在刑事诉讼中实施的逮捕、先行拘留等剥夺公民人身自由的强制措施，以及根据《刑法》的规定对犯罪分子判处徒刑等。在民事诉讼和行政诉讼中，对于破坏诉讼顺利进行者，司法机关可以依法实施司法拘留。在行政管理中，公安机关可以按照《治安管理处罚法》等法律对违法行为人处以行政拘留。所谓非法拘禁，是指故意以非法拘留、禁闭、关押、隔离审查等方式强制公民身体、剥夺公民人身自由的行为，这里的非法不仅是指拘禁行为没有遵守法定的条件和程序，也指拘禁行为没有法律依据。违法行为人除了可以非法拘禁的方式剥夺公民人身自由外，还可

以通过其他的非法手段剥夺公民人身自由。通过其他的非法手段剥夺公民人身自由的,适用非法拘禁的有关规定。

对非法拘禁行为和通过其他的非法手段剥夺公民人身自由的行为,我国《刑法》规定了刑事责任。《刑法》第238条规定,非法拘禁他人或者以其他方法非法剥夺他人人身自由,处3年以下有期徒刑、拘役、管制或者剥夺政治权利。具有殴打、侮辱情节的,从重处罚。国家机关工作人员利用职权犯前款罪的,依照前款的规定从重处罚。构成非法拘禁罪,必须符合以下要件:第一,客观上实施了拘禁他人的行为,且该拘禁行为是非法的;第二,犯罪主体可以是一般公民,也可以是国家机关工作人员;第三,犯罪人主观上是故意,过失的不构成本罪。

非法拘禁妇女和以其他非法手段剥夺妇女的人身自由的行为,属于非法拘禁和以其他非法手段剥夺人身自由的情形之一,适用非法拘禁和以其他非法手段剥夺人身自由的所有规定。对于非法拘禁妇女和以其他非法手段剥夺妇女的人身自由的行为,本法严格禁止。

(二)禁止以其他非法手段限制妇女的人身自由

限制人身自由和剥夺人身自由是两个概念,很显然,非法限制人身自由的违法程度要轻于剥夺人身自由的违法程度。限制是对人身自由的一定程度的克减,如限制公民参加一定的社会活动,不准公民离开一定的区域,外出必须经过批准等,而剥夺则是对人身自由的完全取消。

对于以其他非法手段限制人身自由的行为,《治安管理处罚法》规定,对非法限制他人人身自由的,公安机关可以处以10日以上15日以下拘留,并处500元以上1000元以下罚款;情节较轻的,处5日以上10日以下拘留,并处200元以上500元以下罚款。

(三)禁止非法搜查妇女的身体

《刑事诉讼法》第109条规定,为了收集犯罪证据、查获犯罪人，侦查人员可以对犯罪嫌疑人以及可能隐藏罪犯或者犯罪证据的人的身体、物品、住处和其他有关的地方进行搜查。搜查一词在日常生活和文学作品中经常被使用，但从法律层面看，搜查特指司法机关在处理刑事案件时所采取的一类侦查措施。与搜查类似的是《出境入境边防检查条例》中规定的边防检查站实施的人身检查。本条中非法搜查一词应该作宽泛解释，包括非法搜查和非法的人身检查。

搜查行为是司法机关的合法侦查手段，其他任何机关、团体或者个人都无权对公民的身体进行搜查，否则即为非法搜查。司法机关在侦查过程中实施搜查行为，必须严格依照法律规定的条件和程序进行，否则也可能是构成非法搜查。

《刑法》第 245 条规定，非法搜查他人身体、住宅，或者非法侵入他人住宅的，处 3 年以下有期徒刑或者拘役。司法工作人员滥用职权，犯前款罪的，从重处罚。非法搜查罪是故意犯罪，过失的不构成本罪。《治安管理处罚法》第 40 条第 3 项规定，非法搜查他人身体的，公安机关可以处以 10 日以上 15 日以下拘留，并处 500 元以上 1000 元以下罚款；情节较轻的，处 5 日以上 10 日以下拘留，并处 200 元以上 500 元以下罚款。

非法搜查妇女的身体属于非法搜查身体的情形之一，适用非法搜查身体的所有规定。另外，《刑事诉讼法》第 112 条规定，在搜查的时候，应当有被搜查人或者他的家属，邻居或者其他见证人在场。搜查妇女的身体，应当由女工作人员进行。对于非法搜查妇女的身体的行为，本法严格禁止。

第三十八条　妇女的生命健康权不受侵犯。禁止溺、弃、残害女婴；禁止歧视、虐待生育女婴的妇女和不育的妇女；禁止用迷信、暴力等手段残害妇女；禁止虐待、遗弃病、残妇女和老年妇女。

【释义】　本条是关于妇女的生命健康权不受侵犯的规定。

一、妇女的生命健康权不受侵犯

《民法通则》第 98 条规定,公民享有生命健康权。生命健康权包括生命权和健康权。生命权是指以公民以其性命维持和安全利益为内容的人格权。健康权是指公民以其器官及整体功能利益为内容的权利。没有生命,就谈不上健康。有生命的人,不一定健康。健康包括身体机能的正常运转和身体器官的完整,因此侵害身体,必然侵害健康。

由于生命健康权在所有基本权利中的基础地位,因此国家法律对生命健康权的保护力度是非常大的。《刑法》中规定的故意杀人罪、过失杀人罪、故意伤害罪、过失重伤罪都是针对侵害公民生命健康权的,这些罪的刑事责任在所有罪名中是比较重的,可以判处死刑、无期徒刑、有期徒刑等。《治安管理处罚法》中规定对于殴打他人或者故意伤害他人身体、虐待家庭成员等侵害他人生命健康的行为,公安机关可处以行政拘留或者罚款。《民法通则》第 119 条规定,侵害公民身体造成伤害的,应当赔偿医疗费、因误工减少的收入、残废者生活补助费等费用;造成死亡的,并应当支付丧葬费、死者生前扶养的人必要的生活费等费用。

妇女的生命健康权属于公民生命健康权的情形之一,适用所有有关生命健康权的规定。根据本条规定,严禁侵害妇女的生命健康权。

二、对几类侵害妇女生命健康权行为的禁止性规定

在实践中,由于妇女本身生理结构的特殊、社会舆论和传统习俗的影响,出现了一些主要针对妇女的侵害生命健康权的违法行为,对这些违法行为,本法予以了列举,并明确禁止。

(一)禁止溺、弃、残害女婴

溺婴,原指用水淹死初生婴儿的行为,现指所有非法剥夺婴儿生命的违法行为;弃婴,是指对婴儿负有扶养义务的人将婴儿抛弃,致使婴儿处于无法生存境地的行为;残害婴儿,是指对婴儿实

施伤害、致残的违法行为。据统计,在已经发生的溺、弃、残害婴儿的案件中,杀害、遗弃、残害的婴儿以女婴为主,还包括一些病婴。溺、弃、残害女婴,主要原因是为了生儿子或者为保儿子,这类违法行为不仅是对妇女生命健康权的非法侵害,而且造成了很严重的社会后果,使得全社会男女比例严重失调。

对于溺、弃、残害女婴的行为,本法予以严格禁止。根据我国《刑法》的规定,溺、弃、残害女婴的行为有可能构成遗弃罪、伤害罪或者杀人罪。第一,有遗弃的故意并有遗弃行为,情节恶劣的,构成遗弃罪。《刑法》第 261 条规定,对于年老、年幼、患病或者其他没有独立生活能力的人,负有扶养义务而拒绝扶养,情节恶劣的,处 5 年以下有期徒刑、拘役或者管制。这里讲的情节恶劣,主要是指由于遗弃行为造成女婴重伤、死亡等严重后果的,有遗弃行为屡教不改的,遗弃手段特别恶劣的等。第二,有伤害女婴的故意并有伤害行为的,构成故意伤害罪。《刑法》第 234 条规定,故意伤害他人身体的,处 3 年以下有期徒刑、拘役或者管制。犯前款罪,致人重伤的,处 3 年以上 10 年以下有期徒刑;致人死亡或者以特别残忍手段致人重伤造成严重残疾的,处 10 年以上有期徒刑、无期徒刑或者死刑。第三,有杀害女婴的故意并有杀害的行为,构成杀人罪。《刑法》第 232 条规定,故意杀人的,处死刑、无期徒刑或者 10 年以上有期徒刑;情节较轻的,处 3 年以上 10 年以下有期徒刑。《治安管理处罚法》第 45 条第 2 项规定,遗弃没有独立生活能力的被扶养人的,公安机关可以处 5 日以下拘留或者警告。第 43 条第 2 项规定,殴打不满 14 周岁的人,公安机关处 10 日以上 15 日以下拘留并处 500 元以上 1000 元以下罚款。

(二)禁止歧视、虐待生育女婴的妇女和不育的妇女

《人口与计划生育法》第 22 条规定,禁止歧视、虐待生育女婴的妇女和不育的妇女。考虑到实践中,一些地方有关歧视、虐待生育女婴的妇女和不育的妇女的情形还存在,因此本法重申了这一

规定。

所谓歧视，是指违反男女平等原则，基于男女性别上的差异，而对妇女给予不公正的对待，表现在行为上是用打骂、冷漠、施以某种压力等方式折磨妇女。所谓虐待，是指在家庭生活中，对共同生活的妇女从肉体和精神上进行摧残迫害的行为，具体表现为经常性的打骂、体罚、冻饿、强迫从事过重劳动等。

发生歧视、虐待生育女婴的妇女和不育的妇女的主要原因在一些传统观念，在一些经济、文化比较落后的地区，对于生育女婴或者不育妇女的歧视、虐待现象时有发生。这种歧视可能来自家庭成员，也可能来自社会外界，往往给妇女造成很大的心理伤害。虐待通常来自家庭成员，主要是丈夫，还可能是其他长辈。

对于歧视生育女婴的妇女和不育的妇女的行为，本法予以严格禁止。如果有歧视行为的，根据本法第 57 条的规定，由侵害人所在单位、主管部门或者上级机关责令改正，直接负责的主管人员和其他直接责任人员属于国家工作人员的，由其所在单位或者上级机关依法给予行政处分。

对于虐待生育女婴的妇女和不育的妇女的行为，本法予以严格禁止。我国《刑法》第 260 条规定，虐待家庭成员，情节恶劣的，处 2 年以下有期徒刑、拘役或者管制。《治安管理处罚法》第 45 条第 1 项规定，虐待家庭成员，被虐待人要求处理的，公安机关可以处 5 日以下拘留，或者警告。

（三）禁止用迷信、暴力等手段残害妇女

迷信手段残害妇女主要是指违法行为人愚昧无知，相信所谓的迷信说教，对妇女进行残害，或者违法行为人利用人们的无知，采用坑蒙欺骗的邪术对妇女进行残害。迷信手段主要有装神弄鬼、占卜算命、防妖治病等。暴力手段主要是指拳脚相加、棍打、绳勒、刀砍等方式。

我国《刑法》中并没有对迷信、暴力等手段残害妇女的行为专门规定一个罪名,但在杀人罪和伤害罪中均已经包括了用迷信、暴力等手段残害妇女的犯罪行为。

(四)禁止虐待、遗弃病、残妇女和老年妇女

所谓虐待,是指在家庭生活中,对共同生活的病、残妇女和老年妇女从肉体和精神上进行摧残迫害的行为,具体表现为经常性的打骂、体罚、冻饿、强迫从事过重劳动等。所谓遗弃,是指对于没有独立生活能力的病、残妇女和老年妇女,负有赡养义务而拒绝赡养的行为。虐待和遗弃都是对病、残妇女和老年妇女健康权的侵害,违反本法中保护妇女生命健康权的规定,必须严格予以禁止。

第三十九条　禁止拐卖、绑架妇女;禁止收买被拐卖、绑架的妇女;禁止阻碍解救被拐卖、绑架的妇女。

各级人民政府和公安、民政、劳动和社会保障、卫生等部门按照其职责及时采取措施解救被拐卖、绑架的妇女,做好善后工作,妇女联合会协助和配合做好有关工作。任何人不得歧视被拐卖、绑架的妇女。

【释义】　本条规定了保护妇女不受拐卖和绑架犯罪行为侵害的法律措施。

一、本条第1款规定包含了4层意思:

1. 禁止拐卖妇女。拐卖妇女是指以出卖营利为目的,采用欺骗、引诱、威胁或绑架等手段,将妇女拐骗、绑架、收买、贩卖、接送或者中转的违法犯罪行为。拐卖妇女是侵害妇女人身权利的严重违法犯罪行为,构成拐卖妇女、儿童罪,我国向来对这种行为加以严厉打击和惩处。根据《刑法》第240条规定,拐卖妇女的,处5年以上10年以下有期徒刑,并处罚金;情节严重的,处10年以上有期徒刑或者无期徒刑,并处罚金或者没收财产;情节特别严重的,处死刑,并处没收财产。《刑法》第240条第1款还具体列举了适用上述刑罚的7项拐卖妇女的严重情形:(1)拐卖妇女、儿童

集团的首要分子;(2)拐卖妇女、儿童 3 人以上的;(3)奸淫被拐卖的妇女的,无论其是否使用了暴力或者胁迫手段,也无论被害人是否有反抗的表示或者行为;(4)诱骗、强迫被拐卖的妇女卖淫或者将被拐卖的妇女卖给他人迫使其卖淫的;(5)以出卖为目的,使用暴力、胁迫或者麻醉方法绑架妇女的;(6)造成被拐卖的妇女或者其亲属重伤、死亡或者其他严重后果的;(7)将妇女卖往境外的。

2. 禁止绑架妇女。绑架妇女,是指以勒索财物为目的或者将妇女作为人质,使用暴力、胁迫或者麻醉等方法强行掳走妇女,非法限制其人身自由的犯罪行为,构成绑架罪。绑架妇女以追求非法利益为目的,直接对妇女的人身权利和其他权利进行严重侵害,社会影响极其恶劣,社会危险性极大,必须予以严惩。根据《刑法》第 239 条第 1 款的规定,应处 10 年以上有期徒刑或者无期徒刑,并处罚金或者没收财产,致使被绑架人死亡或者杀害被绑架人的,处死刑,并处没收财产。应当注意的是,如果以出卖为目的,使用暴力、胁迫或者麻醉方法绑架妇女的,则以拐卖妇女、儿童罪论处。

3. 禁止收买被拐卖、绑架的妇女。收买被拐卖、绑架的妇女是指行为人不是以出卖营利为目的,而是为了"结婚"或者"收养"用金钱财物收买被拐卖、绑架的妇女的行为。明知是被拐卖、绑架妇女而强迫与之成婚的,这种行为直接违反我国《婚姻法》第 5 条规定的"结婚必须男女双方完全自愿,不许任何一方对他方加以强迫或任何第三者加以干涉",不具有婚姻法律效力,不受法律承认和保护。在拐卖、绑架妇女的犯罪活动中,收买妇女的需要是拐卖妇女行为的原动力之一,强烈地刺激着人贩子的发财欲望,并直接为拐卖行为的完成提供了保障,因此我国刑法在严惩卖方的同时,对收买妇女的行为也予以制裁。根据《刑法》第 241 条第 1 款的规定,收买被拐卖、绑架妇女的,处 3 年以下有期徒刑、拘役或者管制。因此,本法作为保护妇女权益的专门法律,对收买被拐卖、绑架妇女的行为也作了禁止性规定。

但是,收买被拐卖、绑架的妇女的情况很复杂,刑法第241条第2款至第6款作了区别对待:(1)收买被拐卖的妇女,强行与其发生性关系的,依照刑法第236条规定的强奸妇女或者奸淫幼女罪定罪处罚;(2)收买被拐卖的妇女,非法剥夺、限制其人身自由或者有伤害、侮辱等犯罪行为的,分别依照刑法第238条的非法拘禁罪,第234条、第235条的伤害罪,第237条的强制猥亵、侮辱妇女罪的等有关规定定罪处罚;(3)收买被拐卖的妇女,并有上述犯罪行为的,依照数罪并罚的规定处罚;(4)收买被拐卖的妇女、儿童又出卖的,依照刑法第240条的拐卖妇女、儿童罪的规定定罪处罚;(5)收买被拐卖的妇女,按照被买妇女的意愿,不阻碍其返回原居住地的,对被拐卖的妇女没有虐待行为,不阻挠对其进行解救的,可以不追究刑事责任。

此外,根据全国人大常委会1991年通过的《关于严惩拐卖、绑架妇女、儿童的犯罪分子的决定》的规定,任何个人或者组织不得向被拐卖、绑架的妇女、儿童及其家属或者解救人索要收买妇女、儿童的费用和生活费用;对已经索取的收买妇女、儿童的费用和生活费用,予以追回。

4. 禁止阻碍解救被拐卖、绑架的妇女。任何个人或者组织均不得阻碍对被拐卖、绑架妇女的解救。目前的拐卖、绑架妇女案件查破、解救工作难以开展的一个重要原因就是在解救过程中阻碍解救工作的现象十分严重,一是来自基层干部和群众的阻挠,二是来自收买方家庭甚至家族的阻挠。阻碍解救的行为主要包括阻止有关人员前往解救;给拐卖绑架者出谋划策、打气;为收买者转移被拐卖、绑架妇女提供条件等。我国《刑法》针对上述情况,规定了阻碍解救工作的组织和个人的法律责任:(1)根据刑法第242条和第277条的规定,以暴力、威胁方法阻碍人民政府或者公安机关等部门的国家工作人员依法执行解救被收买的妇女、儿童职责的,按照妨害公务罪的规定定罪处罚,处3年以下有期徒刑、拘役、管制或者罚金;(2)聚众阻碍国家机关工作人员解救被收买的妇女、儿童的首要分子,不论其是否使用暴力、威胁方法,都构成犯罪,处3年以下有期徒刑、拘役、管制或者罚金;(3)聚众阻碍国家机关工作人员解救被收买的妇女、儿童的其他参与者,未使用暴力、威胁方法只是吵闹、谩骂、不服管理的,不构成犯罪,应当按照《治安管理处罚法》的有关规定予以治安处罚;(4)协助转移、隐藏或者以其他方法阻碍国家工作人员解救被收买的妇女,未使用暴力、威胁方法的,依照《治安管理处罚法》的有关规定处理;(5)负有解救职责的国家工作人员不仅不积极解救,反而利用职务的便利,阻碍解救工作的开展,性质更为恶劣,影响更为严重,因此,法律应给予比一般阻碍解救工作的群众或者基层干部更加严厉的处罚。依照《刑法》第416条第2款的规定,负有解救职责的国家工作人员利用职务阻碍解救的,处2年以上7年以下有期徒刑;情节较轻的,处2年以下有期徒刑或者拘役。

二、本条第2款规定了政府及各有关部门、组织和个人在打击拐卖妇女犯罪活动中的职责,包含了三层意思:

1. 各级人民政府对被拐卖、绑架的妇女负有解救职责,解救工作由公安机关会同民政、劳动和社会保障、卫生等有关部门负责执行。各级人民政府和有关部门应当按照各自的职责及时采取措施解救被拐卖、绑架的妇女。

铲除拐卖妇女的犯罪是一项长期而艰巨的任务,需要各有关部门密切配合、综合治理、协同作战,共同打好"打拐"专项斗争,坚决杜绝地方保护主义:(1)各级人民政府负有解救被拐卖、绑架妇女的职责,应当加强对严厉打击拐卖妇女犯罪的斗争的组织和领导,加强对解救工作的组织和领导,并积极采取有效措施,帮助有关部门解决在"打拐"和解救工作中的实际困难,如解救中的经费短缺、警力不足等问题。(2)公安机关是"打拐"斗争中的重要职能部门,通过侦破拐卖妇女的犯罪案件和治安管理,及时查获拐卖妇女的犯罪分子，抓捕拐卖妇女的犯罪嫌疑人，并切实做好证据的收集工作，为起诉和审判打下坚实基础；解救工作困难多、阻力大，各级公安部门应当取得与有关部门的配合及各地区间的协作和配合，还应通过做艰苦的工作，取得基层干部和群众的支持。(3)民政部门要加强婚姻和户籍的管理工作，减少和杜绝拐卖妇女的“市场”，并负责做好对被解救的妇女的生活困难补助等救济工作。(4)劳动和社会保障部门负责对被解救的妇女做好劳动就业安置。(5)卫生部门负责对被解救的妇女进行必要的医疗救治。(6)另外，司法行政部门要做好协查、收监和对受害妇女的法律援助工作；宣传部门要开展广泛深入的宣传教育活动，提高广大干部和群众与拐卖妇女的犯罪行为作斗争的自觉性，等等。

2. 妇女联合会作为妇女权益的代表，要维护被解救妇女的合法权益，协助和配合各级人民政府和有关部门做好有关宣传工作和对被解救妇女的安抚和安置等工作；在工作中发现犯罪线索或者犯罪嫌疑人的，应当及时提请公安机关或者司法机关依法处理。被拐卖、绑架的妇女及其家属，也可以依照本法第 53 条的规定，向妇女组织投诉。妇女组织接到投诉后，应当要求并协助有关部门予以查处，保护被害妇女的合法权益。

3. 任何人不得歧视被拐卖、绑架的妇女。歧视被拐卖、绑架的妇女是指不平等、不公正地排斥或者冷漠对待被拐卖、绑架的妇女，或者不给予其以当地居民应有的待遇。被拐卖、绑架的妇女同其他公民一样，具有平等的法律地位，法律禁止任何人以任何方式歧视这些受过非法侵害的妇女。

第四十条　禁止对妇女实施性骚扰。受害妇女有权向单位和有关机关投诉。

【释义】 本条是有关对妇女性骚扰问题的规定。

性骚扰是近几年才进入公众视野的概念，其本质上是一种性别歧视。世界上很多国家都已经对性骚扰问题进行了立法,尤其是在劳动场所防止性骚扰方面,国际社会已经有了比较成熟的立法经验可以借鉴。我国加入的联合国《消除对妇女的暴力行为宣言》也要求缔约国运用法律等一切措施消除包括性骚扰在内的对妇女的暴力。

"性骚扰"(Sexual Harassment)这一概念最早于20世纪70年代在美国出现,到20世纪90年代开始逐渐被中国大众接触,在此之前,我国老百姓对此类行为一般称之为"猥亵、侮辱他人"或者"耍流氓",将其归为道德和社会治安问题。我国社会学界、法学界早在20世纪90年代已有关注性骚扰的动向与讨论。2001年以来,相继有近10起性骚扰案件进入诉讼程序,有关性骚扰的话题也频频见于各种媒体。随着经济的发展,社会生活逐渐的多元化和复杂化,我国的性骚扰现象不断显现出来,成为一个较为突出的社会问题。目前,性骚扰已是人们日常生活、学习和工作中人身权利被侵害的主要困扰之一,其受害者主要是妇女。一直以来,我国法律未对性骚扰加以明确界定,"性骚扰"甚至还不是明确的法律用语。由于缺乏明确的法律依据,司法实践中对性骚扰案件的处理出现了较混乱的局面,近几年的性骚扰诉讼绝大多数以被侵害者败诉而告终。

鉴于此,此次在对本法的修改过程中,公众对将禁止性骚扰写入法律的呼声很高。由于我国目前进行专门的性骚扰立法的时机尚不成熟,结合我国现行立法状况,在本法中对这一问题作了初步规定,增设了禁止性骚扰的条款。

1. 性骚扰的概念

现在国际上关于"性骚扰"的定义最具权威性的是欧洲议会1990年在议会决议中的一个定义,即"性骚扰是指不受欢迎的性行为,或其他以性为目的的行为,它损害了工作女性与男性的尊严,包括不受欢迎的身体接触、语言或非语言行为"。根据国际劳工组织对公司性骚扰规章制度的调查表明,判定性骚扰的标准是“此行为是否受欢迎”。这以承受者的感受为标准,而不以行为者的主观动机为标准,这一标准也就将性骚扰与普通的办公室调情区别开了。在国外,法院在判定性骚扰行为时,也是以此为标准。目前国际上对“性骚扰”还没有统一的定义,但对于职场性骚扰行为要素基本达成共识,一般包括三个方面:一是此行为必须带性色彩,以性为目的;二是此行为对承受方而言是不受欢迎的,是有损于其人格和尊严的;三是承受者对该行为的接受与否被明确地或含蓄地用来作为影响该人接受职业培训、得到雇用、继续雇用、晋升、工资或者其他雇佣决定的决策基础,或者这种行为可导致承受人在工作场所中产生一种胁迫、敌视、羞辱性的工作环境(欧盟将此称为“敌意性工作环境”)。

根据国内对性骚扰的研究和报道,我国对性骚扰一词的理解可以概括为广义和狭义两种。广义的性骚扰主要指发生在工作场所、公共场所等区域中的针对他人的性暴力行为,根据严重程度可将其分为一级性骚扰和二级性骚扰。一级性骚扰指性攻击行为,包括强奸、性虐待及任何造成身体伤害的暴力动作或异常行为。一级性骚扰行为均已经构成犯罪,对应《刑法》有关条款定罪量刑。二级性骚扰指下列三种类型的骚扰行为:第一,语言骚扰,包括各种带有性含义的性别歧视、性别偏见的言论以及侮辱、贬低、敌视异性的言论;第二,性挑逗,即一切不受欢迎、不合宜的带亵渎行为的性挑逗行为,包括掀衣服、触摸敏感部位、暴露性器官、展示色情图片等;第三,性胁迫,即以威胁或胁迫等违背他人意志的手段实施的强迫性性行为,如强吻、搂抱或强行猥亵行为。如果上述语言或行为情节较为严重,给承受方造成敌意性的环境或损害的,就构成了二级性骚扰,应该受到法律的制裁。狭义的性骚扰通常指二级性骚扰的行为。本法所要规范的性骚扰也主要是上述二级性骚扰行为,且不限于职场性骚扰。对于二级性骚扰行为主要应通过行政责任和民事责任予以制裁。

2. 性骚扰的危害

性骚扰所造成的危害是很严重的,主要表现在:

第一,精神上的压力。性骚扰会使受害者产生情绪上的动荡和沉重的心理压力,表现出害怕、烦躁、困惑、自信心和自尊心下降。

第二,身体上的损害。由于性骚扰的受害者主要是年轻的女性,突如其来的性侵害带来许多不适应的生理反应,如浑身无力,失眠、头痛、恶心等。

第三,交往能力的丧失。受害者会对异性甚至对社会产生不信任感和排斥感。

第四,经济上的损失。很多性骚扰是以升学、就业、提职、涨薪等进行胁迫,这些来自上司和操纵利益人士的骚扰往往使受害者难以应对,有的不得不辞退工作,离开所在岗位,从而造成经济上的损失。

第五,给婚姻家庭造成的损失。已婚的受害者遭受性骚扰得不到家人的理解,影响婚姻家庭关系;未婚的遭受到性骚扰后也常常因此受到舆论谴责,名誉受损,从而影响他们以后的恋爱和婚姻。

第六,少年儿童没有相关知识和自我保护能力,一旦成为受害者,会严重影响他们的身心健康,给其以后的成长和生活烙下阴影。

3. 性骚扰的投诉机制

性骚扰多数情况下具有隐蔽性、突发性,缺乏实物证据,取证困难。且多数受害人害怕在升学、就业、提职、涨薪或者其他利益方面受到损害或者受传统观念影响而不愿意声张。因此,美国和欧盟的很多国家都规定雇主有预防、调查和制止性骚扰的责任,并在一定条件下对事件带来的损失承担责任。国外实践表明,雇主责任使性骚扰的法庭外解决更加容易。首先,雇主必须在企业内部建立切实可行的反性骚扰的制度。其次,雇主有义务为雇员提供不受骚扰的正常工作环境。在交换性性骚扰的情况下,雇主承担严格责任。在敌意环境性骚扰的情况下,承担相应的过错赔偿责任。在此情况下,雇主可以进行合理辩护。雇主能证明其在企业内部建立了反性骚扰的切实可行的控制机制,而被害人在无正当理由不利用该救济机制的情况下,可以免除赔偿责任。

本法不是关于性骚扰问题的专门立法,不适宜在性骚扰的投诉机制方面作更具体的规定,只是规定受害妇女有权向单位和有关机关投诉。因此,用人单位应当在单位内部建立切实可行的反性骚扰的制度,这些制度包括:明确解释哪些行为构成被禁止的性骚扰行为,建立有效的举报途径及举报程序;规定有相应的反报复措施,保证举报的员工不会受到报复;要建立及时高效的调查程序,接到举报后要首先确定是否有性骚扰事实存在;一旦确认性骚扰存在,必须给予骚扰者严厉的单位内部处理。受害妇女可以向本单位或者有关上级单位投诉,请求对行为人予以单位系统内部的相关处分;也可以向主管的行政部门投诉,请求对行为人予以行政制裁;或者向人民法院起诉,请求民事赔偿。

第四十一条　禁止卖淫、嫖娼。

禁止组织、强迫、引诱、容留、介绍妇女卖淫或者对妇女进行猥亵活动。

禁止组织、强迫、引诱妇女进行淫秽表演活动。

【释义】 本条是关于禁止卖淫、嫖娼的规定。

一、禁止卖淫、嫖娼行为

《治安管理处罚法》规定,卖淫、嫖娼的,处 10 日以上 15 日以下拘留,可以并处 5000 元以下罚款;情节较轻的,处 5 日以下拘留或者 500 元以下罚款。所谓卖淫是指行为人以自己的肉体当作商品，进行不正当性行为，从而换取金钱、实物或者某种代价的非法行为。进行卖淫活动的绝大多数为女性，也有男性进行卖淫的。卖淫一般是行为人为贪图金钱、实物以营利为目的，但也有为了达到其他目的，自愿出卖自己肉体的。所谓嫖娼是指行为人以金钱、实物为手段，换取他人肉体作乐，进行不正当性行为的活动。行为人进行嫖娼的目的是为了玩弄异性，以满足其低级下流的性欲。卖淫、嫖娼两者是相辅相成，互为存在的关系，具有金钱买卖、感情冷漠、社会危害性大、杂乱的性关系等特点。《治安管理处罚法》不仅要处罚卖淫行为，更要处罚作为需求方的嫖娼行为。卖淫、嫖娼行为不仅扰乱了社会治安，而且对妇女的身心健康造成了极大的损害，因此本法明确禁止卖淫、嫖娼行为。

二、禁止组织、强迫、容留、介绍妇女卖淫或者对妇女进行猥亵活动

所谓组织卖淫，是指通过纠集、控制一些卖淫妇女进行卖淫，或者以雇佣、招募、容留、强迫等手段，组织、诱骗妇女卖淫，从中牟利的行为。这里的组织通常表现为两种形式，一是行为人设置卖淫场所或者以发廊、旅店、饭店等为名设置变相卖淫场所招募一些卖淫人员在此进行卖淫活动；二是行为人自己没有固定的场所，而是利用本身从事服务业的便利条件，在经营服务业的同时，组织、操纵其所控制的卖淫人员有组织地进行卖淫活动。所谓强迫卖淫，是指违法行为人采取暴力、暴力威胁或其他手段，违背他人意志，迫使他人卖淫的行为。所谓容留卖淫，是指行为人故意为卖淫嫖娼者的卖淫、嫖娼活动提供场所，使卖淫嫖娼活动得以进行的行为。这里的场所包括容留卖淫者自己所有的、管理的、使用的、经营的固定场所或者临时租借的场所，也包括交通工具等流动场所。容留卖淫行为可以是有偿的，也可以是无偿的。所谓介绍卖淫，是指行为人为了获取非法利益，在卖淫者与嫖娼者之间牵线搭桥，使卖淫者与嫖客相识并进行卖淫嫖娼活动。构成介绍卖淫，行为人

在主观上是出于故意，即行为人明知是卖淫者和嫖娼者，而且双方都有卖淫、嫖娼的意图，从中进行介绍。介绍卖淫一般都是出于营利的考虑。所谓猥亵，是指能够使行为人自己或者其他人受到性欲上的刺激、兴奋或者满足而又不同于奸淫的违反健康的性风俗的行为。

无论是组织、强迫、容留、介绍妇女卖淫，还是对妇女进行猥亵的行为，都是对妇女人格权和健康权的严重侵害，因此本法予以严格禁止。《刑法》第 357 条规定，组织他人卖淫或者强迫他人卖淫的，处 5 年以上 10 年以下有期徒刑，并处罚金；有严重情形的，处 10 年以上有期徒刑或者无期徒刑，并处罚金或者没收财产。第 359 条规定，引诱、容留、介绍他人卖淫的，处 5 年以下有期徒刑、拘役或者管制，并处罚金；情节严重的，处 5 年以上有期徒刑，并处罚金。第 237 条规定，以暴力、胁迫或者其他方法强制猥亵妇女或者侮辱妇女的，处 5 年以下有期徒刑或者拘役。《治安管理处罚法》第 67 条规定，引诱、介绍、容留他人卖淫的，处 10 日以上 15 日以下拘留，并处 1000 元以上 5000 元以下罚款；情节较轻的，处 5 日以下拘留或者 500 元以下罚款。第 44 条规定，猥亵他人，情节恶劣的，处 5 日以上 10 日以下拘留；猥亵智力残疾人、精神病人、不满 14 周岁的人或者有其他严重情节的，处 10 日以上 15 日以下拘留。

三、禁止组织、强迫、引诱妇女进行淫秽表演等活动

所谓淫秽表演，主要是指跳脱衣舞、裸体舞、性交表演、手淫口淫等表演。所谓组织淫秽表演，是指组织他人当众进行淫秽性的表演。组织行为是指策划表演过程，纠集、招募、雇佣表演者，寻找、租用表演场地，招揽群众等组织演出的行为。所谓强迫淫秽表演，是指违法行为人采取暴力、暴力威胁或其他手段，违背妇女意志，迫使妇女进行淫秽表演的行为。所谓引诱淫秽表演，是指行为人为了达到某种目的，以金钱诱惑或者通过宣扬腐朽生活方式等

手段，诱使没有淫秽表演习性的人从事淫秽表演活动的行为。

组织、强迫、引诱妇女进行淫秽表演等活动都是对妇女人格权和健康权的严重侵害，因此本法予以严格禁止。《刑法》第 365 条规定，组织进行淫秽表演的，处 3 年以下有期徒刑、拘役或者管制，并处罚金；情节严重的，处 3 年以上 10 年以下有期徒刑，并处罚金。《治安管理处罚法》第 69 条第 2 项规定，组织或者进行淫秽表演的，处 10 日以上 15 日以下拘留，并处 500 元以上 1000 元以下罚款。

第四十二条　妇女的名誉权、荣誉权、隐私权、肖像权等人格权受法律保护。

禁止用侮辱、诽谤等方式损害妇女的人格尊严。禁止通过大众传播媒介或者其他方式贬低损害妇女人格。未经本人同意，不得以营利为目的，通过广告、商标、展览橱窗、报纸、期刊、图书、音像制品、电子出版物、网络等形式使用妇女肖像。

【释义】　本条是关于保护妇女人格权的规定，是对我国《民法通则》中有关规定的具体化。

本条第 1 款规定了妇女的名誉权、荣誉权、隐私权、肖像权等人格权受法律保护。人格权是指民事主体专属享有，以人格利益为客体，为维护其独立人格所必备的固有权利。在我国，公民的人格权是受法律的严格保护的。本法重申了妇女的人格权受法律保护，同时明确强调了妇女的名誉权、荣誉权、隐私权、肖像权等人格权受法律保护。

1. 妇女名誉权

妇女的名誉权是指妇女依法享有的保护自己的名誉不受他人侵犯的一种人格权利，妇女名誉权与妇女的人身不可分离，一定的名誉只能为特定的妇女享有，公正地评价良好的形象，给妇女提供其从事社会活动所十分需要的信誉，是妇女在社会中得以正常生活的必要条件。我国妇女虽然依法享有与男子平等的名誉权，但现实生活中,妇女的名誉更容易受到人们的诋毁、侮辱和诽谤,侵犯妇女名誉权的现象要比侵犯男子名誉权的现象严重得多。因此,本法又对保护妇女名誉权的原则作了进一步的重申和强调。一方面,妇女有权保护自己的名誉不受他人非法侵害,使自己在社会中获得应有的尊敬和评价;另一方面,妇女有权排斥他人对其名誉的侵害,如果他人以侮辱、诽谤等方式毁损妇女的名誉,导致妇女的社会评价降低时,被侵害的妇女作为权利人可以寻求法律救济,请求他人停止侵害并赔礼道歉也可以提起民事诉讼,要求法院维护其名誉权不受侵害。

2. 妇女荣誉权

妇女的荣誉权是指妇女对自己的荣誉称号所享有的不受他人非法侵害的权利。妇女的荣誉权一经获得,未经法律规定的程序不得撤销或者非法剥夺,也不得继承和转让。妇女荣誉的撤销必须要依照一定的程序,并由原授予荣誉的机关或者组织依照法定事由而撤销。妇女荣誉的剥夺,则要由人民法院依照我国《刑法》和《刑事诉讼法》的有关规定,以判决的方式来进行,否则都是无效的。根据《民法通则》的规定,侵犯妇女荣誉权的行为,是指非法剥夺妇女荣誉称号的行为。但是,现实生活中非法剥夺妇女荣誉称号的情况较少,而发生较多的是诋毁妇女所获得的荣誉称号的行为,妇女在获得荣誉称号之后,往往比男性遭受到更多的不理解、诋毁和打击。因此,司法实践中把剥夺和诋毁这两大类行为均看作是侵害妇女荣誉权的行为予以处理,本法也强调妇女的荣誉权受法律保护。根据《民法通则》第 120 条的规定,妇女的荣誉权受到非法侵害的,有权要求行为人停止侵害、恢复名誉、消除影响、赔礼道歉,并可以要求行为人赔偿损失。

3. 妇女隐私权

隐私是指公民不愿向他人公开的有关个人私生活方面的事情。隐私权是人格权的一种,受法律保护。妇女隐私权是指妇女就自己的个人私事、个人信息、私人活动等个人生活领域内的事情享有不为他人知悉,禁止他人干涉的权利,是妇女人格权的一部分。严禁用宣扬隐私的方式侵害妇女的隐私权,损害妇女的名誉和人格。本法明确保护妇女的隐私权,是对《民法通则》和《刑法》关于保护公民名誉权和人格权的一个重要的补充。宣扬隐私是指故意宣扬妇女不愿意被他人披露出来的隐私,对妇女造成一定影响,毁损其名誉或者侵犯其人格尊严的行为。如故意在公共场合宣扬某位妇女有性病、某位妇女不能生育,或者宣扬某位妇女曾与上司同居等。尽管行为人宣扬的这些隐私是真实的,也构成对妇女隐私权的侵犯。对于利用宣扬隐私等方式损害妇女的名誉和人格的,受侵害的妇女有权向人民法院起诉,请求司法机关保护自己的权利。损害妇女名誉和人格,情节严重,构成犯罪的,被害人可以依法提起刑事诉讼,追究加害人的刑事责任;同时被害人可以提起附带民事诉讼,要求赔偿损失。

4. 妇女肖像权

妇女肖像权是指法律赋予妇女拥有、使用和转让其肖像的人格权利,是一种专有权利,妇女有权禁止他人未经许可以营利为目的使用自己的肖像。《民法通则》第 100 条规定:“公民享有肖像权,未经本人同意,不得以营利为目的使用公民的肖像。”这里所指的公民包括广大妇女在内。妇女所享有的肖像权所包括的内容主要有:一是形象的再现权,即妇女享有是否允许他人通过艺术摄影或者其他形式再现自己形象的专有权。二是肖像的使用权,即妇女享有对其肖像是否允许传播、展览、复制、张贴或用作广告、商标等的专有权,有权使用自己的肖像,也有权同意他人使用自己的肖像。未经妇女本人同意,任何人不得以营利为目的使用其肖像。三是妇女肖像权受到侵害时,妇女有权向人民法院提起诉讼,要求侵权行为人承担相应的法律责任。

本条第 2 款规定了保护妇女人格权的禁止性措施。

1. 禁止利用侮辱、诽谤等方式损害妇女的人格尊严

人格尊严，表现为妇女个人基于自己所处的社会环境、地位、工作环境、家庭关系等各种客观条件而对自己的社会地位和社会价值的一种自我意识和自我评价。侵犯妇女的人格尊严，是对妇女的基本公民权的最粗暴践踏和最严重侵害。我国法律保护妇女的人格尊严不受侵犯，禁止利用侮辱、诽谤等方式损害妇女的人格尊严。

侮辱妇女，是指故意以暴力、胁迫、语言、文字等方式贬低妇女人格，有三种行为方式：一是暴力侮辱，主要是指对受害妇女施以暴力或者以暴力相威胁，使妇女的人格、名誉遭受损害。如强行剥光妇女的衣服，当众羞辱或者强迫被害妇女当众做令人难堪的下流动作，往妇女身上泼抹粪便等肮脏的东西，逼迫妇女吃污秽物等等。二是语言或者动作侮辱，也就是说行为人以口头语言对妇女进行嘲笑、辱骂，使妇女蒙受耻辱、名声败坏或者行为人做出一定的动作姿态表演使妇女受辱。三是书面、文字、图画侮辱，主要是行为人以书面语言的形式（如大字报、小字报、匿名信等）辱骂、嘲笑妇女，或者对其进行漫画丑化或文字丑化，使妇女的人格尊严受到贬损。

诽谤妇女，是指行为人因故意或者过失而捏造并散布某些虚假的足以使人信以为真的具体事实，损害妇女人格尊严的行为。诽谤可以是口头、语言诽谤，也可以是书面、文字诽谤（如新闻报道失实）。许多受害妇女因受侮辱、诽谤而精神受到强烈刺激，往往产生自杀或者其他严重后果。因此本法明确禁止利用侮辱、诽谤等方式损害妇女的人格尊严。

此外，本法还禁止以侮辱、诽谤方式以外的其他方式损害妇女的人格尊严。如以侮辱妇女人格为目的使用妇女肖像，对妇女的肖像进行丑化，或使其严重污损、污秽不堪，或标上文字进行丑化然后公开张贴，又如宣扬妇女的个人隐私等，这些行为都在本法禁

止之列。

对于利用侮辱、诽谤等方式损害妇女人格尊严的,受侵害人有权向人民法院起诉,请求司法机关保护自己的权利。损害妇女人格,情节严重,构成犯罪的,被害人可以依法提起刑事诉讼,追究加害人的刑事责任;同时被害人可以提起附带民事诉讼,要求赔偿损失。需要注意的是,依据《刑法》第 246 条的规定,对于侮辱罪和诽谤罪,“告诉的才处理”,即只有被害人亲自向人民法院控告的,人民法院才能受理,对于被害人不控告的,司法机关不能主动受理,追究侮辱人、诽谤人的刑事责任。但也有例外,一是严重危害社会秩序和国家利益的侮辱、诽谤犯罪行为,可由人民检察院提起公诉;二是根据《刑法》第 98 条的规定,如果被害人受强制或者威吓而无法告诉的,人民检察院和被害人的近亲属也可以告诉。因此,当事人要善于运用法律手段维护自己的人身权利。

2. 禁止通过大众传播媒介或者其他形式贬低损害妇女人格

任何广播、电影、电视、报纸、期刊、图书、音像制品、网络等大众传播媒介所设各项栏目或者所刊登的各类作品中不得含有贬低损害妇女的人格的内容。在商业活动或者演出活动中,禁止贬低损害妇女的人格。

3. 未经本人同意,不得以营利为目的使用妇女肖像

在社会实际生活中,肖像权受到侵害较多的是妇女。如有的企业为了吸引消费者,未经本人同意,经常将妇女的肖像用于广告,有的商店用妇女的肖像装饰橱窗,有的书刊用妇女的肖像作为书刊封面或者文章插图等。这些行为,均已构成对妇女肖像权的侵害,应当承担相应的民事法律责任。所以本法又具体规定,未经本人同意,不得以营利为目的,通过广告、商标、展览橱窗、报纸、期刊、图书、音像制品、网络等形式使用妇女肖像。依据《民法通则》第 120 条的规定,对于侵害妇女肖像权的行为,被侵害人可以要求侵权人停止侵害,并有权要求恢复名誉、消除影响、赔礼道歉和赔

偿损失。为了制裁侵害公民肖像权的行为,最高人民法院在《关于贯彻执行〈中华人民共和国民法通则〉若干问题的意见(试行)》中规定,侵害他人的姓名权、名称权、肖像权、名誉权、荣誉权而获利的,侵权人除应适当赔偿受害人的损失外,其非法所得应当予以收缴。如果妇女的肖像权受到不法侵害,便可依照上述法律和司法解释规定追究侵权行为人的民事法律责任。各级妇女组织应该支持妇女维护肖像权的行为。司法机关应当依法保障妇女肖像权不受侵犯。

按照本款的规定,未经本人同意,以营利为目的,擅自使用妇女肖像,属于侵权行为,但下列行为不构成侵权行为:(1)为了国家和社会利益的需要,国家机关在法律规定的范围内,使用他人肖像;(2)新闻工作者为了新闻报道的目的使用他人肖像;(3)艺术家按照协议,使用人体形象创作的再现模特形象的艺术作品,无须经本人同意即可公开使用。

第七章　婚姻家庭权益

第四十三条　国家保障妇女享有与男子平等的婚姻家庭权利。

【释义】　本条是关于国家保障妇女享有与男子平等的婚姻家庭权利的总的规定。

所谓婚姻家庭权利，是指民事主体基于婚姻家庭关系而享有的民事权利和利益。婚姻家庭权利包括依婚姻家庭关系而产生的人身方面的权利，如婚姻自主权、对未成年人的监护权等，还包括依婚姻家庭关系而产生的财产方面的权利，如对家庭财产的占有、使用、收益和处分，对家庭成员财产的继承权等。

我国《婚姻法》第 2 条规定，实行婚姻自由、一夫一妻、男女平等原则。保护妇女、儿童和老人的合法权益。根据《婚姻法》等法律规定，妇女享有与男子平等的婚姻家庭权利主要体现为以下四方面：

第一，在结婚和离婚方面，妇女的权利与男子平等。如结婚必须男女双方完全自愿，不允许男方对女方加以强迫或者第三者加以干涉；登记结婚后，根据双方的约定，女方可以成为男方家庭成员，男方可以成为女方家庭成员；男女双方都有依法提起离婚的权利；离婚时，男女双方都有分割共同财产、清偿共同债务的权利和义务等。

第二，在夫妻关系方面，妻子的权利与丈夫平等。如夫妻双方都有各自姓名的权利；都有参加生产、工作、学习和社会活动的自由；都有实行计划生育的权利和义务；都有抚养教育子女的权利和义务;对共同财产有平等的所有权;有相互扶养的义务和相互继承遗产的权利等。

第三,在父母子女方面,母亲的权利与父亲平等,女儿的权利与儿子平等。如父亲和母亲都有扶养教育子女的义务,都有受子女赡养扶助的权利;子和女都有接受父母扶养教育的权利,都有赡养扶助父母的义务;父和母、子和女的继承权平等等。

第四,在祖孙、兄弟姐妹关系方面,妇女的权利与男子的权利平等。如祖父、外祖父和祖母、外祖母在一定条件下都有抚养孙子女、外孙子女的义务,都有受孙子女、外孙子女赡养的权利;孙、外孙和孙女、外孙女在一定条件下都有受祖父母、外祖父母抚养的权利,都有赡养祖父母、外祖父母的义务。兄和姊在一定条件下都有扶养弟和妹的义务,都有接受弟和妹赡养的权利;弟和妹在一定条件下都有接受兄、姊扶养的权利,都有赡养兄、姊的义务。祖父、外祖父和祖母、外祖母的继承权平等,孙、外孙和孙女、外孙女的继承权平等,兄和姊、弟和妹的继承权平等。

值得一提的是,真正保障妇女享有与男子平等的婚姻家庭权利,不仅在上述婚姻家庭权利方面做到真正平等享有,在有些特殊方面,还要对妇女给予特殊的保护。比如在女方怀孕期间、分娩后1年内或者终止妊娠6个月内,男方不得提出离婚,而女方可以提出离婚;离婚分割住房时,双方协议不成的,人民法院应该根据实际情况,按照照顾子女和女方权益的原则判决等。这些特殊的保护表面上超出了平等的范畴,但能够更好地达到男女在婚姻家庭权利方面的实质平等。

第四十四条 国家保护妇女的婚姻自主权。禁止干涉妇女的结婚、离婚自由。

【释义】 本条是关于国家保护妇女婚姻自主权的规定。

婚姻自由是我国婚姻法的基本原则,是指婚姻当事人享有自主决定自己婚姻的权利。婚姻自由的具体内容包括结婚自由和离婚自由两个方面。所谓结婚自由，是指当事人依法缔结婚姻关系的自由，换言之，结婚必须是男女双方本人完全自愿，不许任何一方对他方加以强迫，或者第三人加以干涉。保障结婚自由，不仅是对妇女婚姻自主权的保护，而且也使男女双方能基于自己的意愿结成共同生活的伴侣，建立幸福美满的家庭。所谓离婚自由，是指当事人依法解除婚姻关系的自由，即在法定的条件下，婚姻双方都有权提出离婚，任何人都不得干涉。保障离婚自由，不仅是对妇女婚姻自主权的保护，而且也使无法维持的婚姻关系得以解除，免除双方婚姻名存实亡的痛苦。结婚自由和离婚自由是统一的，二者相互缺一不可。

婚姻自主权是男女双方都享有的权利，由于传统观念的影响，妇女的婚姻自主权较男子更容易受到侵害。据统计，妇女，尤其是农村妇女的婚姻自主程度尽管较以前有了长足的提高，但与男子比仍有不小差距。就目前而言，妇女的婚姻自主权仍是问题的主要方面，因此本条不仅从正面规定了国家保护妇女的婚姻自主权，而且又从反面规定了国家禁止干涉妇女的结婚、离婚自由。

在实践中，干涉妇女婚姻自主权的情形大致有以下几类：第一，包办、买卖婚姻。包办婚姻是指第三人违反婚姻自由的原则，强制妇女结婚或者离婚的违法行为。买卖婚姻是指第三人以索取大量财物为目的，包办强迫妇女结婚的违法行为。对于包办、买卖婚姻，《婚姻法》第 3 条予以明确禁止。第二，抱养“童养媳”。抱养“童养媳”是旧中国父母包办、买卖子女婚姻的一种形式，男方家庭以较低的代价领取一个未成年女子作“童养媳”，待其成年后，不论自愿与否，都要嫁给买方男子，所以抱养“童养媳”是一种严重侵犯妇女婚姻自主权的行为。第三，“换亲”“转亲”。“换亲”“转亲”都是以交换妇女为特征的互易婚姻，表现为父母以女儿换取儿媳或者男子以姐妹换取妻子。“换亲”是两家对换，“转亲”是三家以上对换。“换亲”“转亲”是包办、买卖婚姻的一种特殊形式，在“换亲”“转亲”中妇女一般是没有自主选择权的，往往会成为交换的筹码，因此属于一类严重干涉妇女结婚自由的违法行为。第四，干涉丧偶或者离婚的妇女再婚，特别是子女对中老年妇女再婚的干涉，这种干涉侵害了妇女结婚的自主权利，是违法行为。第五，任何强制、阻挠妇女离婚的行为，由于侵害了妇女的离婚自由，也是违法的。

当然，国家保护妇女的婚姻自主权，禁止干涉妇女的结婚、离婚自由，并不是说妇女享有绝对的婚姻自由，也不是说妇女享有比男子更大的婚姻自由。任何国家的婚姻自由都不是绝对的，都是法律范围之内的婚姻自由，这对妇女和男子都一样。国家保护妇女的婚姻自主权，保护的是妇女依法享有的与男子平等的婚姻自主权。妇女的结婚必须履行法定的登记程序和条件，妇女离婚必须达到感情确实破裂的程度，必须具备法定的情形。同时妇女离婚还必须受到《婚姻法》第 33 条的规定，现役军人的配偶要求离婚的，须得军人同意，但军人一方有重大过错的除外。如果妇女为军人的配偶，必须得到现役军人的同意，否则将被判决不得离婚。

为保护妇女的婚姻自主权，《刑法》第 257 条规定，以暴力干涉他人婚姻自由的，处 2 年以下有期徒刑或者拘役。犯前款罪，致使被害人死亡的，处 2 年以上 7 年以下有期徒刑。第 1 款罪，告诉的才处理。暴力干涉婚姻自由罪中的暴力是指使用捆绑、吊打、禁闭、强抢等手段，使被干涉者不能行使婚姻自由的权利。暴力干涉是构成本罪的主要特征，没有使用暴力的或者使用暴力但不足以干涉被干涉人行使婚姻自由权利的，都不构成本罪。

第四十五条　女方在怀孕期间、分娩后一年内或者终止妊娠后六个月内，男方不得提出离婚。女方提出离婚的，或者人民法院认为确有必要受理男方离婚请求的，不在此限。

【释义】 本条是关于限制男方离婚请求权的规定。

离婚，是指配偶生存期间解除婚姻关系的法律手段，是终止婚姻关系的一种形式。按照我国《婚姻法》的规定，离婚有两种形式：登记离婚和诉讼离婚。所谓登记离婚，是指双方自愿离婚或协议离婚，即婚姻关系因双方当事人的合意而解除的一种以行政程序进行的离婚方式。所谓诉讼离婚，是指男女一方要求离婚，向人民法院提出离婚诉讼请求，由人民法院调解或裁判解除双方婚姻关系的离婚方式。

我国《婚姻法》在处理离婚问题时的指导思想是保障离婚自由和防止轻率离婚。离婚自由是婚姻自由的主要内容之一，允许公民在夫妻感情确已破裂、夫妻关系无法维持时解除这种痛苦的婚姻关系，不仅符合法律的本意，而且也符合婚姻家庭道德。有下列情形的，人民法院在调解之后，应准予离婚：一是重婚或有配偶者与他人同居的；二是实施家庭暴力或虐待、遗弃家庭成员的；三是有赌博、吸毒等恶习屡教不改的；四是因感情不和分居满 2 年的；五是其他导致夫妻感情破裂的情形。婚姻法对离婚自由作了两条限制：一是现役军人的配偶要求离婚，须得到军人同意，但军人一方有重大过错的除外；二是女方在怀孕期间、分娩之后 1 年内或终止妊娠后 6 个月内，男方不得提出离婚。女方提出离婚的，或人民法院认为确有必要受理男方离婚请求的，不在此限。

怀孕是指育龄妇女腹中怀有胎儿的情形，分娩俗称生小孩，终止妊娠包括妊娠早期的人工流产和妊娠中期的中期引产。出于对妇女在怀孕、分娩后 1 年内或者终止妊娠后 6 个月内的特殊照顾，保护妇女和胎儿、婴儿的身体健康，在此期间男方不得提出离婚请求。对男方在特定期间内离婚请求权的限制，不仅是合乎科学的，也是合乎道德的，体现了法律对妇女与胎儿、婴儿的特殊保护。对男方离婚请求权的限制，只是对男方离婚请求权暂时性的不受理，其性质是推迟了男方提出离婚的时间，而不是否定和剥夺男方的起诉权，并不涉及准予离婚或不准予离婚的实体性问题。

值得注意的是，在妇女怀孕期间、分娩后1年内或者终止妊娠6个月内是对男子离婚请求权的限制，而不是对妇女离婚请求权的限制。女方在怀孕期间、分娩后1年内或者终止妊娠6个月内提出离婚，往往是出于某些紧迫的原因，而且本人对离婚及其后果已有一定的思想准备，本条的特殊保护也没有必要了。法院如果不及时受理女方提出的离婚请求，可能更加不利于保护孕妇、产妇和胎儿、婴儿的生命安全和合法权益。

为照顾到实践中的各种情况，法院还可以根据实际情况，在确有必要的情形下，可以例外地受理男方离婚请求。所谓确有必要，是指比该条特别保护妇女利益更为重要的利益需要保护的情形。根据有关规定和司法解释，在男方有正当理由的前提下，人民法院可以受理男方的离婚请求：第一，双方确有不能继续共同生活的重大、紧迫的事由时，如一方对另一方有危及人身安全的可能等，应视其紧迫性及时受理男方的离婚请求；第二，女方婚后与人通奸以致怀孕，男方提出离婚时，如婚后通奸怀孕的事实为女方所承认或经查属实的，法院应该受理男方的离婚请求；第三，法院在判决离婚时未发现女方已经怀孕，以后女方发现怀孕而上诉的，在经查属实后，二审法院应当撤销原判决，驳回男方的离婚请求，不必发回原审法院重新审理。当然，本条只是说受理离婚诉讼请求，至于法院受理后是否判决离婚并非本条规定的内容。

第四十六条　禁止对妇女实施家庭暴力。

国家采取措施，预防和制止家庭暴力。

公安、民政、司法行政等部门以及城乡基层群众性自治组织、社会团体，应当在各自的职责范围内预防和制止家庭暴力，依法为受害妇女提供救助。

【释义】　本条是关于禁止对妇女实施家庭暴力的规定。

一、禁止对妇女实施家庭暴力

在我国,家庭暴力问题有个发展的过程。20 世纪 60 年代,人们开始讨论对妇女的暴力问题。70 年代,人们仍将关注的重点放在妇女被陌生人或熟人攻击、强奸上,当时家庭中的暴力还没有被认为是社会性的问题。70 年代末 80 年代初,开始出现了家庭暴力的统计数据,并开始研究、重视家庭内的暴力问题。人们逐渐关注家庭暴力问题,各种报纸杂志、新闻媒体对于家庭暴力事件的报道也日益频繁。发展至今,家庭暴力已经成为了我国婚姻家庭领域中一个亟待解决的问题。

2002 年,根据全国维护妇女儿童权益协调组牵头开展的抽样检查结果显示,在被调查的与实施妇女权益保障法相关的机构负责人中,近 1/3 的人将妇女遭受家庭暴力列为所在地区妇女权益受侵害现象的第一位,而在被调查的社会公众中,16% 的女性承认被自己的配偶动手打过,有 14.4% 的男性承认打过自己的配偶。2003 年妇联系统受理的婚姻家庭类问题为 194,476 件,其中家庭暴力问题为 46,114 件,占 23.7%,相比 2000 年增加了近 1 倍。美国司法部和疾病控制及预防中心的调查显示,在美国,接近 25% 的妇女曾被现任或前任伴侣强奸或殴打过。1993 年英国的一次调查表明,有 1/10 的家庭妇女在过去的 12 个月中曾是家庭暴力受害者,在 1996 年的一项不设时间限制的调查中,有 31% 的妇女曾经遭到过家庭暴力的侵害。由此可见,家庭暴力问题已经成为了一个全球性的问题,在我国是一个全国性的问题。

何谓家庭暴力?我国 2001 年新修改的《婚姻法》第 3 条规定了禁止家庭暴力,但没有对家庭暴力下定义。2001 年最高人民法院《关于适用〈中华人民共和国婚姻法〉若干问题的解释(一)》第 1 条规定,《婚姻法》第 3 条所称的"家庭暴力",是指行为人以殴打、捆绑、残害、强行限制人身自由或者其他手段,给其家庭成员的身体、精神等方面造成一定伤害后果的行为。持续性、经常性的家庭暴力,构成虐待。综合而言,家庭暴力主要分为几个层面来理解:第一,家庭暴力行为的内容,这可以分为两类:一是对身体的暴力行为,包括采取殴打、捆绑、残害、推搡、打耳光、脚踢、使用工具攻击、强行限制人身自由等;二是对精神的暴力行为,如用语言威胁恐吓、恶意诽谤、辱骂、故意攻击性器官、强迫发生性行为等。在精神暴力中,出现了一类新的暴力形式——冷暴力,即对妇女漠不关心、很少进行语言交流、轻视、放任、疏远。第二,家庭暴力的主体。实施家庭暴力的主要是男子,而受家庭暴力侵害的主要是妇女。所谓家庭暴力,必须是发生在家庭成员之间的,而家庭成员主要是指具有亲属关系的,包括夫妻、父母子女、兄弟姐妹、祖孙、儿媳与公婆、女婿与岳父母等。第三,家庭暴力与其他行为的区别。家庭暴力的程度要轻于虐待行为,只有持续性、经常性的家庭暴力,构成虐待。家庭暴力也不同于日常生活中偶尔的打闹、争吵。

家庭暴力对妇女的人身和精神有着极大的侵害,严重影响了子女身心的健康发展,破坏了家庭的和睦,已经成为离婚的主要原因之一。严重的家庭暴力还会导致女性受害者以暴抗暴,以犯罪手段进行报复,成为社会的不稳定因素。家庭暴力与社会文明、社会和谐、以人为本思想都是背道而驰的,因此要坚决予以禁止。本条禁止性条款重申了《婚姻法》的有关规定,表明了我国对待家庭暴力问题的鲜明立场,具有极强的宣示意义。

二、如何解决好家庭暴力问题

解决家庭暴力问题,不是哪一个部门的职责,而应该是一个系统工程,由各有关部门通力合作,国家机关与社会团体相互配合,形成全社会的合力。解决家庭暴力问题要注意三个环节:预防、制止和救助。解决家庭暴力的根本在预防,家庭暴力会严重影响家庭的稳定,动摇社会文明的基础,而且出现家庭暴力后,如果一味打击和制裁,同样会破坏家庭的温情和稳定。制止是解决家庭暴力的最直接的方法,制止包括责令施暴者放弃暴力行为和给予制裁。如果对家庭暴力不予及时制止，将会使家庭暴力升级，造成严重后果。救助是解决家庭暴力的保障，能够为受暴妇女出谋划策，使其暂时摆脱暴力的阴影。要解决好家庭暴力问题，预防、制止、救助三个环节都不可或缺。本条对预防、制止、救助三个环节都作了规定。

从国家的角度看，为解决家庭暴力问题，构建了三个层面的制度。第一，国家采取措施，预防和制止家庭暴力。这里的措施包括通过立法、制定有关政策等。我国首次以法律形式禁止家庭暴力的是《婚姻法》。《婚姻法》修订后，有关禁止家庭暴力的规定就产生了非常积极的影响。另外我国已经有 20 多个省、自治区、直辖市颁布了预防和制止家庭暴力的地方性法规、政策，有 90 多个地级市、140 多个县乡出台了反对家庭暴力的相关规定。已经出台的地方性法规和政策主要有四种形式：一是由省级人大颁布的地方性法规；二是由党委、政府办公厅下发的文件；三是由省综合治理委员会、政法委、公检法司等部门与妇联联合制定的规定或通知；四是由法院、检察院、公安厅、司法厅等部门的联合发文。依据这些法规、政策，在一定程度上预防和制止了当地家庭暴力现象的发生和发展，有力地推动了预防和制止家庭暴力工作的开展。

第二，由公安、民政、司法行政等部门在各自职责范围内预防和制止家庭暴力，依法为受害妇女提供救助。公安部门在处理家庭暴力方面负有重要职责，特别是对施暴者的及时阻止和制裁。加拿大的司法实践表明，执法机构有效的干预将大大减少家庭暴力事件的发生率，如果现场拘留施暴者并对其提起公诉，将使受害者再次遭殴打的概率减少 50%。在实践中，公安部门对于初次轻微暴力案件，经被害妇女的请求，可以采取警告、责令赔礼道歉等处理方式；对于其他轻微暴力案件，经被害人的请求，可以依据《治安管理处罚法》的规定，实施拘留；对于重大暴力案件，则应该依照我国《刑法》关于虐待罪的规定，移交检察机关提起公诉。民政部门主要负责对受暴妇女提供救助，我国有 13 个省份建立了妇女儿童庇护中心，其中省级的 2 个，地市级的 23 个，县乡级的 36 个，为受家庭暴力侵害的妇女暂时解决无处可去、吃住无着的困难，保护她们不再受到侵害。有的庇护中心还为妇女开展普法宣传、心理疏导和技能培训。我国已有 28 个省、自治区、直辖市的司法行政部门建立了法律援助工作机构，为受到暴力侵害的妇女提供法律方面的帮助。另外司法行政部门应该积极开展法律宣传工作，在社会上营造一个尊重妇女、共同谴责家庭暴力的良好氛围。

第三，由城乡基层群众性自治组织、社会团体依法预防和制止家庭暴力，为受害妇女提供救助。《婚姻法》第 43 条规定，实施家庭暴力，受害人有权提出请求，居民委员会、村民委员会以及所在单位应当予以劝阻、调解。对正在实施的家庭暴力，受害人有权提出请求，居民委员会、村民委员会应当予以劝阻。妇联组织的基本职能是代表和维护妇女权益，促进男女平等，妇联有责任为遭遇家庭暴力侵害的妇女进行协调和呼吁。一些地区由妇联和政法机关联合成立的家庭暴力致伤鉴定中心，为家庭暴力受害者的躯体和心理损害情况进行识别、检验、记录和评价。我国许多妇女组织建立了法律援助中心和妇女热线电话，为妇女提供心理和法律咨询服务。

第四十七条　妇女对依照法律规定的夫妻共同财产享有与其配偶平等的占有、使用、收益和处分的权利，不受双方收入状况的影响。

夫妻书面约定婚姻关系存续期间所得的财产归各自所有，女方因抚育子女、照料老人、协助男方工作等承担较多义务的，有权在离婚时要求男方予以补偿。

【释义】　本条是关于妇女对夫妻共同财产享有与其配偶平

等的权益，以及妇女承担较多家庭义务时，在离婚时享有经济补偿权利的规定。

所谓“依照法律规定的夫妻共同财产”，是指我国《婚姻法》所规定的夫妻共同财产。《婚姻法》第 17 条明确规定：“夫妻在婚姻关系存续期间所得的下列财产，归夫妻共同所有：（一）工资、奖金；（二）生产、经营的收益；（三）知识产权的收益；（四）继承或赠与所得的财产，但本法第十八条第三项规定的除外；（五）其他应当归共同所有的财产。夫妻对共同所有的财产，有平等的处理权。”这一规定确立了我国法定的夫妻共同财产制的范围和夫妻对共同财产平等处理的权利。

夫妻共同财产的性质是共同共有，不是按份共有，夫妻对婚姻关系存续期间所得的全部财产，应当不分份额地享有平等的权利，包括占有、使用、收益和处分的权利，当然也承担平等的义务，不能根据夫妻双方经济收入的多少来确定夫妻对共同财产享有的份额多少。法律作出这样的规定，主要是从公平的原则和维护妇女权利的角度出发，因为从我国目前的家庭收入情况看，丈夫的收入往往高于妻子，有的家庭里，妻子为了照顾孩子甚至不工作，做全职主妇，在这种情况下，如果以夫妻双方收入的多少来决定共同财产的分配，则不利于保护妇女的合法权益，也不利于家庭关系的稳定。

夫妻对共同财产享有平等的占有、使用、收益和处分的权利，一方对共同财产的处分，应当征得另一方的同意，不得擅自处分。夫妻一方处分共同财产时，另一方知道而不作否认意思表示的，视为同意，事后不得以自己未参加处分为由，否认处分的法律效力。夫妻一方未经另一方同意擅自处分共同财产的，对方有权请求宣告该处分行为无效，但不得对抗善意的第三人，即第三人在不知情的情况下与擅自处分财产的一方所做的交易是有效的。一方因擅自处分夫妻共同财产给另一方造成损失的，应当予以赔偿。同时，一方因擅自处分共同财产所负的债务，应由其个人财产予以清偿。最高人民法院 1993 年 11 月对此问题所作的司法解释明确规定：一方未经另一方同意，擅自资助与其没有扶养义务的亲朋所负的债务；或一方未经对方同意，独自筹资从事经营活动，其收入确未用于共同生活所负的债务，不能认定为夫妻共同债务，应由一方由个人财产清偿。

本条第 2 款规定体现的是对家务劳动价值的认可，即在约定的分别财产制下，女方承担家务劳动较多的，有权在离婚时请求男方予以经济补偿。

所谓约定的分别财产制，是指夫妻通过书面约定的方式，约定婚姻关系存续期间所得的财产归各自所有，并单方行使管理权、收益权及处分权，同时也不排斥一方以合同形式将其财产的管理权交给另一方，或双方拥有一部分共同财产。分别财产制保证了双方独立的财产权，但考虑到在大多数的家庭中，妇女往往承担了较多的家务劳动，并且因此放弃了自己发展的机会，而家务劳动又不计报酬，如果离婚时对妇女的这部分家务劳动不予以补偿，则不利于对妇女权益的维护。所以法律明确规定了在约定的分别财产制下，女方承担家务劳动较多的，有权在离婚时请求男方予以经济补偿。这一法律规定体现的是合伙关系的理论，它推定夫妻双方对家庭财富积累的贡献是同等的，只是其方式有直接和间接之分。家庭主妇对婚姻家庭所作的无形贡献是积累家庭财富的间接方式，因而对有经济收入的一方所得的财产享有平等的所有权。

法律在尊重夫妻双方意思自治的前提下，也需要为保障妇女一方的权益，而对夫妻约定财产制进行必要的干预，这不是对夫妻约定财产制的否定或者修改，而是法律根据权利义务对等的原则在个人权利与社会公平之间取得的平衡，因为，对一个家庭而言，承担家务劳动是夫妻共同的义务，当一方为了双方共同的利益而承担较多义务时，在婚姻关系终结时，有权请求另一方予以补偿，这是维护公平正义法律原则的需要，同时也是对传统家庭美德予以肯定与彰显，促进社会文明进步的需要。

这里需要指出的是：第一，本款的适用范围是约定的分别财产制，是针对此种情况下，对妇女权益的特别保护。如果夫妻双方没有约定分别财产制，则适用夫妻共同财产制，此时就不存在本款规定的补偿问题，而是由法院按照双方权利均等的原则，同时照顾女方和子女利益进行分割。第二，权利和义务应遵循对等原则。只有女方因抚养子女、照料老人、协助男方工作等，为家庭付出较多义务时，才有权向男方要求经济补偿。第三，此种补偿是一种独立的诉讼请求权，不是离婚分割共同财产时的考虑因素。

第四十八条　夫妻共有的房屋，离婚时，分割住房由双方协议解决；协议不成的，由人民法院根据双方的具体情况，按照照顾子女和女方权益的原则判决。夫妻双方另有约定的除外。

夫妻共同租用的房屋，离婚时，女方的住房应当按照照顾子女和女方权益的原则解决。

【释义】　本条是关于夫妻离婚时，对共有的房屋或者共同租用的房屋的分割原则的规定。

我国《婚姻法》第39条第1款规定："离婚时，夫妻的共同财产由双方协议处理；协议不成时，由人民法院根据财产的具体情况，照顾子女和女方的权益原则判决。"离婚时的财产分割是离婚所产生的法律后果之一。法律允许夫妻双方就共同财产的分割自行协商处理。如果未达成协议的，由人民法院根据具体情况，本着照顾子女和女方权益的原则判决。这里应当指出的是，离婚时财产分割的客体是夫妻共同财产，对于夫妻双方约定的归各自所有的财产，则不存在分割的问题。所以本条明确规定，夫妻双方另有约定的除外，这一规定就是排除了对双方约定的归各自所有的财产的分割。总之，在离婚时，涉及财产分割的只是按照夫妻双方的约定或者法律规定的性质为夫妻共同财产的家庭财产,对双方约定的部分共有的财产,则也属于离婚时财产分割的对象;除此之外的其他家庭财产,则不属于离婚时予以分割的财产。

房屋是大多数家庭价值较大的财产之一,如果房屋属于婚姻关系存续期间所得,除夫妻双方对其作了属于某一方所有的特别约定外,应认定为夫妻共同财产进行分割。分割时先由夫妻双方进行协商,协商不成时,由人民法院按照照顾子女和女方权益的原则判决,就是说在分割房屋的判决中应当体现对妇女及子女的照顾原则,将房屋分割与子女抚养结合起来。审判实践中,对房屋的分割一般按如下原则处理:(1)婚后8年内双方对婚前一方所有的房屋进行修缮、装修、原拆原建,离婚未变更产权的,房屋仍归产权人所有,增值部分涉及另一方的份额,由房屋产权人折价补偿另一方;进行过扩建的,扩建部分的房屋按夫妻共同财产处理。(2)对不宜分割使用的夫妻共同所有的房屋,根据双方住房情况和照顾抚养子女方或者无过错方等原则分给一方所有。分得房屋的一方应当给予另一方相当于房屋一半价值的补偿。在双方条件相同的情况下,应照顾女方。(3)婚姻存续期间居住的房屋属于一方所有,另一方以离婚后无房居住为由,要求暂住的,经查实可据情予以支持,但一般不超过2年。无房一方租房居住确有困难的,享有房屋产权的一方可给予一次性经济帮助。

关于离婚时对夫妻共同租用的房屋的处理,最高人民法院1996年发布的《关于审理离婚案件中公房使用、承租若干问题的解答》明确规定,人民法院审理离婚案件对公房使用、承租问题应当依照《民法通则》、《婚姻法》、《妇女权益保障法》和其他有关法律规定,坚持男女平等和保护妇女、儿童合法权益等原则,考虑双方的经济收入,实事求是、合情合理地予以解决。具体是:

第一,在离婚案件中,当事人对公房的使用、承租问题发生争议,自行协商不成,或者经当事人双方单位或有关部门调解不成的，人民法院应根据案件的具体情况，依法予以妥善处理。

第二，夫妻共同居住的公房，具有下列情形之一的，离婚后，双方均可承租：(1)婚前由一方承租的公房，婚姻关系存续 5 年以上的；(2)婚前一方承租的本单位的房屋，离婚时，双方均为本单位职工的；(3)一方婚前借款投资建房取得的公房承租权，婚后夫妻共同偿还借款的；(4)婚后一方或双方申请取得公房承租权的；(5)婚前一方承租的公房，婚后因该承租房屋拆迁而取得房屋承租权的；(6)夫妻双方单位投资联建或联合购置的共有房屋的；(7)一方将其承租的本单位的房屋，交回本单位或交给另一方单位后，另一方单位另给调换房屋的；(8)婚前双方均租有公房，婚后合并调换房屋的；(9)其他应当认定为夫妻双方均可承租的情形。

第三，对夫妻双方均可承租的公房，应依照下列原则予以处理：(1)照顾抚养子女的一方；(2)男女双方在同等条件下，照顾女方；(3)照顾残疾或生活困难的一方；(4)照顾无过错一方。

第四，对夫妻双方均可承租的公房而由一方承租的，承租方对另一方可给予适当的经济补偿。

第五，夫妻双方均可承租的公房，如其面积较大能够隔开分室居住使用的，可由双方分别租住；对可以另调房屋分别租住或承租方给解决住房的，可予准许。

第六，离婚时，一方对另一方婚前承租的公房无权承租而解决住房确有困难的，人民法院可调解或判决其暂时居住，暂住期限一般不超过 2 年。暂住期间，暂住方应交纳与房屋租金等额的使用费及其他必要的费用。

第七，离婚时，一方对另一方婚前承租的公房无权承租，另外租房经济上确有困难的，如承租公房一方有负担能力，应给予一次性经济帮助。

第八，人民法院在调整和变更单位自管房屋(包括单位委托房地产管理部门代管的房屋)的租赁关系时,一般应征求自管房单位的意见。经调解或判决变更房屋租赁关系的,承租人应依照有关规定办理房屋变更登记手续。

第九,对夫妻共同出资而取得"部分产权"的房屋,人民法院可参照上述有关解答,予以妥善处理。但分得房屋"部分产权"的一方,一般应按所得房屋产权的比例,依照离婚时当地政府有关部门公布的同类住房标准价,给予对方一半价值的补偿。

第十,对夫妻双方均争房屋"部分产权"的,如双方同意或者双方经济、住房条件基本相同,可采取竞价方式解决。

最高人民法院的上述司法解释,体现了对于夫妻共同租用的房屋,离婚时,按照照顾子女和女方权益的原则解决女方住房的原则。

第四十九条　父母双方对未成年子女享有平等的监护权。

父亲死亡、丧失行为能力或者有其他情形不能担任未成年子女的监护人的,母亲的监护权任何人不得干涉。

【释义】 本条是关于父母双方对未成年子女享有平等的监护权,以及母亲的监护权任何人不得非法干涉的规定。

《民法通则》第16条第1款规定,未成年人的父母是未成年人的监护人。同时《民法通则》第18条第1款明确规定了监护人的基本职责是"保护被监护人的人身、财产及其他合法权益,除为被监护人的利益外,不得处理被监护人的财产"。根据这一规定,父母对未成年子女的监护职责主要是人身保护和财产保护。人身保护主要包括:照顾未成年子女的生活,保护其身体健康;保护未成年子女的人身安全不受侵害,为其提供适合其成长的健康环境等。对未成年子女的财产保护主要是指为未成年子女的利益管理和保护其财产权益,除为未成年子女的利益外,不得处理属于该未成年子女的财产。父母对未成年子女的监护权还包括代理未成年子女进行民事活动等。根据《民法通则》的规定,未成年人是不具有完全行为能力的人，未成年人只可以独立进行与其年龄、智力相适应的民事活动，其他活动应当由其父母进行代理，或者经父母同意后进行。当未成年子女的权益受到侵害时，作为法定监护人的父母有权以代理人身份提起诉讼，维护未成年子女的合法权益。

如果父母未履行其监护职责或者侵害了未成年子女的合法权益，给未成年子女造成财产损失或者其他损害的，应当依法承担责任。根据《未成年人保护法》的规定，人民法院可以根据有关人员和有关单位的申请，撤销其监护人资格，并根据《民法通则》的规定，另行确定监护人。此外，《预防未成年人犯罪法》规定，父母未能履行监护职责，放任其未成年子女的违法犯罪的不良行为的，由公安机关对未成年人父母予以训诫，责令其严加管教。该法还规定，父母让其不满 16 周岁的未成年子女脱离监护单独居住的，由公安机关对未成年人父母予以训诫，令其立即改正。

父母双方对未成年子女享有平等的监护权，这是男女平等和夫妻家庭地位平等的体现。我国先后颁布的 3 部《婚姻法》都明确规定了父母都有权利和义务保护和教育未成年子女。父母双方对未成年子女享有平等的监护权，同时也意味着承担同等的义务，当未成年子女对国家、集体或者他人造成损害时，父母双方都有承担民事责任的义务。

父母双方对未成年子女享有平等的监护权，这就意味着任何一方的监护权不受非法干涉。对于父亲死亡、丧失行为能力或者有其他情形不能担任未成年子女监护人的，母亲的监护权任何人不得干涉。

本款所规定的未成年人的父亲丧失行为能力的情形，是指因患精神病丧失行为能力，变成了无行为能力人。有其他情形不能担任未成年子女监护人的，主要是指未成年人的父亲因不能正确履行其监护职责或者侵害了未成年子女的合法权益的，被人民法院依法撤销其监护人资格，或者该父亲处于不能行使监护权的状态，如被依法监禁，失去人身自由，或者因长期失踪，而被人民法院依法宣告失踪的，都属于有其他情形不能担任未成年子女监护人的情况。同时，对于本条规定的父亲死亡的情形，包括自然死亡和被法院宣布死亡两种情况。

父亲如果死亡、丧失行为能力或者有其他情形不能担任未成年子女监护人的，母亲的监护权任何人不得干涉。在实践中，一些家庭在未成年人的父亲死亡、丧失行为能力或者有其他情形不能担任未成年子女监护人的情况发生之后，未成年人的爷爷奶奶或者其他亲属害怕孩子的母亲改嫁后带走孩子，因而对孩子母亲的监护权横加干涉，拒绝让孩子的母亲照料孩子，甚至不让母亲与孩子见面，或者在孩子的母亲再婚后，不让其把孩子带走，这些都是侵犯母亲对孩子监护权的违法行为，是为法律所严格禁止的。

第五十条　离婚时，女方因实施绝育手术或者其他原因丧失生育能力的，处理子女抚养问题，应在有利子女权益的条件下，照顾女方的合理要求。

【释义】　本条是关于离婚时，女方因实施绝育手术或者其他原因丧失生育能力的，在处理子女抚养问题方面应当依法照顾女方合理要求的规定。

关于离婚时孩子归谁抚养的问题，应本着不损害子女利益的原则去考虑。最高人民法院《关于人民法院审理离婚案件处理子女抚养问题的若干具体意见》第3条规定，对2周岁以上的未成年子女，父方和母方均要求随其生活，一方已做绝育手术或因其他原因丧失生育能力的，可予优先考虑。对于女方响应计划生育政策，做了绝育手术，且有条件和能力抚养子女，要求孩子由女方抚养、随女方生活的情况，法院应当优先考虑女方的合理要求，判令孩子由母亲抚养、随母亲生活。法律的这一规定，一是体现了对妇女合法权益的保护；二是体现了权利和义务相一致的法律原则；三是体现了实事求是的原则。

离婚时的子女抚养问题，是离婚家庭不得不面临的一个重要问题，《婚姻法》对解决子女抚养问题的总原则是：从有利于子女身心健康，保障子女的合法权益出发，结合父母双方的抚养能力和抚养条件等具体情况妥善解决。上述关于离婚时，女方因实施绝育手术或者其他原因丧失生育能力的，在处理子女抚养问题方面应当依法照顾女方合理要求的规定，就体现了这一原则。除此之外，《婚姻法》和最高人民法院的司法解释中关于离婚时的子女抚养问题的规定还包括：

第一，子女随父方还是母方生活，由双方协议处理。离婚家庭的子女随父方生活还是随母方生活，可以由双方在离婚的时候协商决定。如果双方是协议离婚，应在离婚协议书上写明关于子女随哪方生活。在离婚之诉中，如果双方就子女抚养问题达成协议，一般法院会尊重其协议，但是双方协议由父方或母方抚养子女对子女正常生活有严重不利的除外。双方协议轮流抚养子女的，应该尊重双方协议。

第二，子女不足2周岁的。如果离婚家庭有不足2周岁的子女，那么考虑到子女较小，更加需要母亲的照顾，有的可能尚处于哺乳期，所以法律规定离婚后子女一般随母方生活。但如果母方有特殊原因，实际上不能或不愿抚养子女的可以随父方生活。特殊原因主要是指：母方患有久治不愈的传染性疾病或其他严重疾病、母方有抚养条件不尽抚养义务等。

第三，子女在2周岁以上的。离婚家庭的子女在2周岁以上，且双方同争子女抚养权的，法院应同等地考虑双方的情况，看子女随哪方生活更有利于其成长。子女随父母其中一方时间较长，对这一方较有感情，则孩子应随这一方生活；子女随祖父母或者外祖父母中一方生活时间较长，或与之感情较深，也可以作为决定子女随父方还是母方生活的理由。法院在调解或判决的时候会考虑到这个因素,如果子女与祖父母关系较密切,那么一般判决随父方生活,相反,则随母方生活。当然这是在双方其他条件均等的情况下。如果某一方患有久治不愈的传染性疾病,或者有吸毒、偷窃等不利于子女身心健康的情况,那么子女自然不适于与之一起生活。

第四,子女在10周岁以上的。10周岁以上的未成年子女,属于限制民事行为能力人,有一定的辨别是非的能力,所以在离婚案件中,处理子女随谁生活的问题上,应考虑子女的个人的意愿。但是这并不是说10周岁以上未成年子女可以随意选择随谁生活,法院一般在父方母方同争抚养权,且双方都具有抚养子女的条件时,才考虑子女个人的意见。对于成年子女随哪方生活的问题,法院则会更多地考虑子女的意见。

这里还应当指出的是,离婚时,女方因实施绝育手术或者其他原因丧失生育能力的,处理子女抚养问题,法律支持了女方的请求的,即法院判决孩子由母亲抚养后,并不能免除孩子父亲给付子女抚养费的法定义务。根据《婚姻法》的规定,离婚后,不直接抚养子女一方应向直接抚养子女的一方支付抚养费。抚养费的给付方式一般有两种:按月给付和一次性给付。离婚双方可以根据实际情况协商决定抚养费的给付方法,可以选择除上述两种方法以外的其他方法给付抚养费,例如按年给付,或按收入情况给付。

子女抚育费的数额的确定,要根据子女正常生活的实际需要。抚养费的数额应能维持子女的衣、食、住、行、学的正常需求。除此之外还要考虑非抚养方的实际收入,一般每月抚养费应占非抚养方月收入的20%～30%,最高不超过50%。

一般情况下,抚养费的给付期间是从离婚之日起到子女成年之日止,例外情况可以延长或缩短给付期限。延长抚养费给付期间的情况是指,子女虽然已经成年但仍不能独立生活的情况。例如子女尚在校就读,子女全部或部分丧失劳动能力。缩短抚养费给付期间的情况是指，子女虽然尚未成年但已经满16周岁，并且有了独立的经济收入，可以满足自己的生活需求。

《婚姻法》还规定了不直接抚养子女一方对子女有探望权，抚养方有配合的义务。在离婚后子女与父母的关系上，一些人有一些错误的认识，认为夫妻离婚后，孩子随一方生活，就可以永远割断与另一方的关系，有些人甚至以不要抚养费为条件，提出与另一方永久断绝关系。事实上，子女与父母的亲缘关系是客观存在的，不能因为离婚而受到限制。探望权的行使正是基于亲属权而产生。即便非抚养方与子女在实际上并没有血缘关系（收养子女、婚内非婚生子女等），也不能影响其探望权的行使，这是基于非抚养方与子女长期生活所产生的感情决定的。

关于探望权的行使，离婚时双方最好能就探望子女事宜达成书面协议，约定何时何地以怎样的方式行使探望权，这样既可以避免抚养方不配合探望，又可以避免非抚养方频繁探望对子女成长造成不利影响。

第五十一条　妇女有按照国家有关规定生育子女的权利，也有不生育的自由。

育龄夫妻双方按照国家有关规定计划生育，有关部门应当提供安全、有效的避孕药具和技术，保障实施节育手术的妇女的健康和安全。

国家实行婚前保健、孕产期保健制度，发展母婴保健事业。各级人民政府应当采取措施，保障妇女享有计划生育技术服务，提高妇女的生殖健康水平。

【释义】　本条是关于保障妇女生育权利和享受有关计划生育技术服务的规定。

一、妇女有按照国家有关规定生育子女的权利，也有不生育的自由

1. 妇女有按照国家有关规定生育子女的权利，是指妇女有自由而负责地决定生育子女的时间、数量和间隔的权利。1974 年联合国“世界人口大会”通过的《世界人口行政计划》规定：“所有夫妻和个人都有自由而负责地决定其子女人数和生育间隔以及获得作出这种决定所需要的新信息、教育和方法的基本权利；夫妻和个人在行使这一权利时，应考虑到他们本人及他们未来的孩子的生活需要以及他们对社会所负有的责任。”这一规定首次明确提出夫妇在行使生育权的同时，应当承担起对子女和社会的责任和义务。此外，联合国《消除对妇女一切形式歧视公约》也重申了自由而负责任地行使生育权的原则。在我国，由于人口压力巨大，国家需要控制人口过快增长，因而制定了实行计划生育这一基本国策，并在 2001 年通过了《人口与计划生育法》，将人口与计划生育工作纳入了法制轨道。对于我国妇女来说，既有生育的权利，也有实行计划生育的义务，在决定生育子女的数量、时间和间隔时，要遵守国家法律、法规的规定，这也是对国家、社会负责任的一种体现。因而，在本款的规定中，强调的是妇女有按照国家有关规定生育子女的权利，而不是完全凭个人意愿生育子女的权利。

2. 妇女也有按照国家有关规定不生育的自由。妇女有权利选择生育与不生育，对于自愿不生育的妇女，任何单位或者个人不得予以歧视。目前，不少夫妻选择作“丁克夫妻”，终生不生育子女，对于这种行为，国家的政策是不提倡，但也不禁止，体现了国家对个人生育自由的尊重。这里应当指出两点：一是在生育权问题上夫妻享有平等的权利。生育是夫妻双方共同的行为，不可能依靠单方实现。因此，在行使生育权利时，应考虑夫妻双方的共同意志，一方不能将其个人意志强加于另一方，要在双方协商并达成合意的基础上实现这一权利。二是本法特别规定妇女享有生育的权利，并不排斥男性的生育权。

二、育龄夫妻双方按照国家有关规定计划生育，有关部门应当

提供安全、有效的避孕药具和技术，保障实施节育手术的妇女的健康和安全

国家对育龄夫妻双方按照国家有关规定实行计划生育的，应当提供国家免费的计划生育基本项目的技术服务。《人口与计划生育法》第21条第1款规定："实行计划生育的育龄夫妻免费享受国家规定的基本项目的计划生育技术服务。"根据这一规定，对于响应国家号召，按照国家法律、地方性法规规定，自觉实行计划生育，落实避孕节育措施的夫妻，国家为其免费提供国家规定的基本项目的计划生育技术服务，包括：放、取宫内节育器，人工终止妊娠，输卵（精）管结扎术，妊娠与避孕检查，发放国家规定的非卖品避孕药具等。基本服务还包括：计划生育技术指导和咨询，具体包括生殖健康科普宣传、教育、咨询，提供避孕药具及相关的指导、咨询、随访；对已经施行避孕、节育手术和输卵（精）管结扎术的，提供相关的咨询、随访等。总之，育龄夫妻双方按照国家有关规定计划生育，有关部门应当提供安全、有效的避孕药具和技术，保障实施节育手术的妇女的健康和安全。这一规定也体现了公民权利和义务相一致的法律原则，公民履行了计划生育的义务，同时有权利享受国家提供的安全而有效的计划生育技术服务。

三、国家实行婚前保健、孕产期保健制度，发展母婴保健事业。各级人民政府应当采取措施，保障妇女享有计划生育技术服务，提高妇女的生殖健康水平

1. 国家实行婚前保健、孕产期保健制度，发展母婴保健事业。

婚前保健制度。婚前保健制度是指对即将结婚的男女进行卫生保健服务。建立婚前保健制度是减少出生缺陷，提高出生婴儿健康水平的第一道防线。婚前保健主要内容包括：（1）婚前卫生指导，即关于性卫生知识、生育知识和遗传病知识的教育。（2）婚前卫生咨询，即对有关婚姻、生育保健等保健提供医学意见。（3）婚前医学检查，即对准备结婚的男女双方可能影响结婚和生育的

疾病进行医学检查。检查的内容包括:严重遗传性疾病、指定传染病和有关精神病。经婚前医学检查,对患指定传染病在传染期内或者有关精神病在发病期内的,医生应当提出医学意见;准备结婚的男女双方应当暂缓结婚。经婚前医学检查,对诊断患医学上认为不宜生育的严重遗传性疾病的,医生应当向男女双方说明情况,提出医学意见;经男女双方同意,采取长效避孕措施或者施行结扎手术后不生育的,可以结婚。

孕产期保健制度。孕产期保健是指为育龄妇女和孕产妇提供的孕期、产期保健服务。孕产期保健是减少出生缺陷,提高出生婴儿健康水平的第二道防线,其主要内容包括:(1)母婴保健指导,即对孕育健康后代,防治严重遗传性疾病和碘缺乏病等地方病,提供医学意见,给予医学指导。(2)孕妇、产妇保健,即对孕妇、产妇提供卫生、营养、心理等方面的咨询和指导以及产前定期检查等医疗保健服务。(3)胎儿保健,即对胎儿生长发育进行监护,提供咨询和医学指导。(4)新生儿保健,即为新生儿生长发育、哺乳和护理提供医疗保健服务。

2. 各级人民政府应当采取措施,保障妇女享有计划生育技术服务,提高妇女的生殖健康水平。

计划生育技术服务是指通过手术、药物、工具、仪器、信息和其他手段,有目的地调节人的生育能力,并围绕生育、节育、不育开展相关的生殖保健服务。计划生育技术服务包括计划生育技术指导、咨询以及与计划生育相关的临床医疗服务。开展计划生育技术服务的目的在于:一是围绕生育、节育和不育,为育龄人群提供安全、有效、适宜的避孕节育药具和临床医疗服务;二是提供咨询指导、术前宣传教育和术后随访服务,通过面向群众,深入基层的生殖健康宣传服务,帮助每一个公民安全、健康地渡过育龄期,不断提高公民的生殖健康水平。

根据《国际人口与发展大会行动纲领》的定义,生殖健康是指于生殖系统及其功能和过程所涉及的一切事宜上,身体、精神和社会等方面的健康状态,而不仅仅是指没有疾病或不适。实行计划生育,不仅要达到控制人口的目的,也要提高公民的生殖健康水平。这不仅是履行我国加入的国际公约的规定,也是我国法律的要求。实行计划生育是我国的一项基本国策,公民有实行计划生育的义务,同时也享有获得计划生育技术服务的权利。应当指出的是,向公民提供计划生育技术服务是政府的责任,也是做好计划生育工作的重要保证。各级人民政府要采取有效措施,保障妇女享有计划生育技术服务,提高妇女的生殖健康水平。

第八章 法律责任

第五十二条 妇女的合法权益受到侵害的，有权要求有关部门依法处理，或者依法向仲裁机构申请仲裁，或者向人民法院起诉。

对有经济困难需要法律援助或者司法救助的妇女，当地法律援助机构或者人民法院应当给予帮助，依法为其提供法律援助或者司法救助。

【释义】 本条是关于妇女有权依法维护自身的合法权益，以及依法获得法律援助或者司法救助的规定。

本法第5条第1款规定："国家鼓励妇女自尊、自信、自立、自强，运用法律维护自身合法权益。"这就明确了妇女本身必须要有依法维护自身权利的意识，当自身的合法权益受到侵害时，要积极向有关部门投诉，要求有关部门依法处理，或者依法向仲裁机构申请仲裁，或者向人民法院起诉，以法律的武器维护自身的合法权益。

本款规定的"妇女的合法权益受到侵害的，有权要求有关部门依法处理"是指妇女有权要求与侵权事件有关的主管部门依法处理。或者依法申请仲裁，是指妇女可以就侵犯自身权益的违法行为，依据《仲裁法》、《劳动法》和《农村土地承包法》等法律申请仲裁。具体是：

第一，对于民事纠纷，可以依《仲裁法》申请民事仲裁。仲裁，亦称公断，是指发生民事经济纠纷的当事人按照合同中订立的仲裁条款和以其他书面形式在纠纷发生前或者纠纷发生后达成的请求仲裁的协议,自愿将有关争议提交仲裁机构,仲裁机构以第三者的身份居中调解,并按照一定程序作出对双方当事人都具有约束力的判断和裁决,当事人必须履行裁决的一种法律制度。

第二,对于劳动争议,可以依据《劳动法》的规定向劳动仲裁机构申请劳动仲裁。劳动仲裁是作为公民向法院起诉的前置程序规定的,这主要是考虑到劳动争议方面纠纷的处理专业性比较强,需要专业仲裁机构先行处理,这样一方面有利于快速解决纠纷,方便当事人,另一方面也可以缓解法院审判的压力。对于申请劳动仲裁后,仲裁机构不予受理,或者对仲裁裁决不服的,当事人可以依法向人民法院提起民事诉讼。

第三,对于农村土地承包纠纷,可以依据《农村土地承包法》及本法的规定向农村土地仲裁机构申请仲裁。农村土地承包仲裁机构的仲裁,不是向法院诉讼的前置程序,而是给当事人以选择权,或者申请仲裁,或者到法院诉讼。对于申请仲裁后,对仲裁裁决不服的,还可以向法院提起诉讼,在这一点上,此种仲裁与劳动仲裁有相似之处,即对于这两种仲裁裁决不服的,公民都可以依法向人民法院提起诉讼。

本款规定的"或者向人民法院起诉",是指受害妇女依据侵害行为的性质,直接向人民法院提起民事诉讼、行政诉讼或者刑事自诉。如对于性骚扰的案件,受害人除了要求公安机关依法予以处罚外,还可以依法向人民法院提起民事诉讼,请求侵权损害赔偿。对于侵害妇女人格权、财产权、婚姻家庭权益的违法行为,受害人都可以依法提起民事诉讼;对于侵害妇女劳动权益,属于劳动争议的案件,受害人需要依据《劳动法》的规定,先向劳动仲裁机构申请仲裁,对仲裁机构不予受理或者对仲裁决定不服的,可以依法向人民法院提起民事诉讼;对于行政机关侵害妇女权益的行为,包括直接侵权的和间接以不作为的方式侵权的违法行为,受害妇女可以依法提起行政诉讼;对于受到遗弃、家庭暴力虐待以及丈夫重婚等违法行为，情节严重构成犯罪的，受害人可以向法院提起刑事自诉，请求法院追究有关人员的刑事责任。

本条第二款规定对有经济困难需要法律援助或者司法救助的妇女，当地法律援助机构或者人民法院应当给予帮助，依法为其提供法律援助或者司法救助。

1. 法律援助。法律援助是指对于经济困难的公民给予必要的法律服务，包括法律咨询、代理、刑事辩护等无偿法律服务。对想诉讼而因经济困难无法获得必要的法律服务的公民，实行法律援助制度，是国际上通行的做法。我国在《刑事诉讼法》《律师法》等法律中对这一制度作出了规定，1993 年 9 月 1 日起施行的《法律援助条例》对法律援助制度更是作出了具体的规定。根据《法律援助条例》的规定，法律援助的范围包括：（1）依法请求国家赔偿的；（2）请求给予社会保险待遇或者最低生活保障待遇的；（3）请求发给抚恤金、救济金的；（4）请求给付赡养费、抚养费、扶养费的；（5）请求支付劳动报酬的；（6）主张因见义勇为行为产生的民事权益的。对于上述事项的申请，该条例规定：（1）请求国家赔偿的，向赔偿义务机关所在地的法律援助机构提出申请；（2）请求给予社会保险待遇、最低生活保障待遇或者请求发给抚恤金、救济金的，向提供社会保险待遇、最低生活保障待遇或者发给抚恤金、救济金的义务机关所在地的法律援助机构提出申请；（3）请求给付赡养费、抚养费、扶养费的，向给付赡养费、抚养费、扶养费的义务人住所地的法律援助机构提出申请；（4）请求支付劳动报酬的，向支付劳动报酬的义务人住所地的法律援助机构提出申请；（5）主张因见义勇为行为产生的民事权益的，向被请求人住所地的法律援助机构提出申请。

如果妇女因经济困难而申请法律援助的，应当提交本人身份证或者其他有效的身份证明，代理申请人还应当提交有代理权的证明，同时，还应当提交经济困难的证明，以及与所申请法律援助事项有关的案件材料。

申请法律援助应当采用书面形式，填写申请表；以书面形式提出申请确有困难的，可以口头申请，由法律援助机构工作人员或者代为转交申请的有关机构工作人员作书面记录。对于公民的申请，由法律援助机构负责受理、审查，指派或者安排人员为符合本条例规定的公民提供法律援助。律师应当依照《律师法》和《法律援助条例》的规定履行法律援助义务，为受援人提供符合标准的法律服务，依法维护受援人的合法权益，接受律师协会和司法行政部门的监督。

2. 司法救助。司法救助，是指人民法院对于当事人为维护自己的合法权益，向人民法院提起民事、行政诉讼，但经济确有困难的，实行诉讼费的缓交、减交、免交制度。实行司法救助制度的目的是使经济确有困难的当事人能够依法行使诉讼权利，维护其合法权益。根据新修订的最高人民法院《关于对经济确有困难的当事人提供司法救助的规定》，可以向人民法院申请司法救助的当事人包括：(1)追索赡养费、抚养费、抚育费、抚恤金的；(2)孤寡老人、孤儿和农村“五保户”；(3)没有固定生活来源的残疾人、患有严重疾病的人；(4)国家规定的优抚、安置对象；(5)追索社会保险金、劳动报酬和经济补偿金的；(6)交通事故、医疗事故、工伤事故、产品质量事故或者其他人身伤害事故的受害人，请求赔偿的；(7)因见义勇为或为保护社会公共利益致使自己合法权益受到损害，本人或者近亲属请求赔偿或者经济补偿的；(8)进城务工人员追索劳动报酬或其他合法权益受到侵害而请求赔偿的；(9)正在享受城市居民最低生活保障、农村特困户救济或领取失业保险金，无其他收入的；(10)因自然灾害等不可抗力造成生活困难，正在接受社会救济，或者家庭生产经营难以为继的；(11)起诉行政机关违法要求农民履行义务的；(12)正在接受有关部门法律援助的；(13)当事人为社会福利机构、敬老院、优抚医院、精神病院、

SOS 儿童村、社会救助站、特殊教育机构等社会公共福利单位的。

妇女因经济困难需要申请司法救助的，如果符合上述司法救助的范围，即可以在起诉或者上诉时提交申请司法救助的书面申请和足以证明其确有经济困难的证明材料。

这里应当指出的是，本法规定的对有经济困难的妇女实施法律援助和司法救助，是要依照国家相关的法律、法规及司法解释进行，是包含在国家现行的法律援助和司法救助制度之内的，而不是脱离现行的这些制度，另搞一套针对妇女的制度。

第五十三条　妇女的合法权益受到侵害的，可以向妇女组织投诉，妇女组织应当维护被侵害妇女的合法权益，有权要求并协助有关部门或者单位查处。有关部门或者单位应当依法查处，并予以答复。

【释义】　本条是关于权益受侵害的妇女可以向妇女组织投诉以及妇女组织的维权职责的规定。

妇女的合法权益受到侵害的，可以向妇女组织投诉。这里的“妇女组织”主要是指我国的各级妇联和其他非政府妇女组织。中国最大的非政府妇女组织是中华全国妇女联合会，除了全国妇联外，妇联的地方组织包括省、市、县、乡（街道、社区）四级妇女联合会，农村的行政村、乡镇企业、农林牧渔场、城市的居民委员会、街办企业和专业市场等设立妇女代表会，负责日常工作。目前，全国共有地（市）级妇联组织 435 个，县（区）级妇联组织 2336 个，乡（街道）妇联组织 48,066 个，城市社区妇联（居委会妇代会）7.4 万个，农村基层妇代会 61 万个。

除了妇联组织外，我国其他的妇女组织还有：中华全国总工会女职工委员会，是工会内部具有民主性、代表性的女职工组织，此外，还有一些行业的妇女组织等。

当妇女的合法权益受到侵害的，要积极向妇联等妇女组织投诉,妇联等妇女组织应当维护被侵害妇女的合法权益,这里的维权,包括两个方面:一是妇女组织本身对妇女的维权,二是妇女组织有权就妇女权益受侵害的行为要求并协助有关部门或者单位查处。

首先,在妇女组织本身对妇女的维权方面。长期以来,妇联组织以其健全的组织网络优势和在妇女群众中的影响,广泛参与妇女权益保障的各项工作,维护受害妇女的合法权益。妇联组织以信访工作为窗口了解妇女权益保护中存在的问题,建立了全国、省、区、县、乡、村六级信访网络,接待受害妇女,为其提供法律、政策、心理等方面的咨询和服务,协调有关部门解决重大疑难问题。不少地方的妇联组织还针对新时期妇女维权工作的特点,建立了一些专门的救护设施,包括:

(1)妇女儿童庇护中心。目前,全国有 13 个省份建立了妇女儿童庇护中心,其中省级 2 个(辽宁、天津),地(市)级 23 个,县乡级 36 个,为受家庭暴力侵害的妇女暂时解决无处可去、吃住无着的困难,保护她们不再受到侵害。有的庇护中心还为妇女开展普法宣传、心理疏导和技能培训,帮助她们自立自强,重新生活。这些庇护中心中,有的属于妇联组织与民政部门合作成立的,有的是妇联组织单独创办的。

(2)反家庭暴力投诉报警点。全国各级妇联组织与公安机关合作建立了 12000 余个反家庭暴力投诉报警点,使公安机关在接到家庭暴力的报警后,及时出警制止家庭暴力。

(3)社区维权岗。目前,大多数省份的妇联组织在城市社区与居委会、基层法院的人民法庭、公安派出所合作建立维护妇女权益的社区维权岗,这些维权岗有的设在居委会,有的设在人民法庭,还有的设在公安派出所。安徽省各级妇联组织共建立社区维权岗 586 个,为妇女的维权投诉提供方便。

其次,妇女组织有权就妇女权益受侵害行为要求并协助有关部门或者单位查处。应当说，维护妇女权益的责任主要由各级政府及其有关部门来承担，妇联等妇女组织作为社会团体，在维护妇女权益方面，它的角色是协助和配合政府及其有关部门工作。所以，对受害妇女的投诉，妇联等妇女组织要积极向政府有关部门、单位反映，协助有关部门或者单位查处。

对于妇女组织所反映的情况和予以查处的要求，有关部门或者单位应当认真对待，并依法予以调查处理，决不能推诿、拖延、压制不予查处。因此，各级政府及其有关部门要认真履行各自的职责，不仅要认真查处有关违反《妇女权益保障法》，侵害妇女合法权益的违法行为，还要将最后处理的结果向反映情况的妇女组织予以答复。

应当指出的是，本条规定的是对妇女权益受侵害的一个救助措施。所谓救助措施是指对受害妇女权利救济的渠道和有关方面对受害妇女予以救助的职责。救护措施与法律责任在保障妇女权益方面相辅相成，缺一不可：一是救助措施从时间上侧重于对妇女权益进行事先、事中的维护，使她们在遇到侵权行为时能够获得及时的救助，避免受到更大的伤害；而法律责任则侧重于一种事后救济。二是从针对的对象上说，救助措施直接针对的是权益受侵害的妇女，而法律责任则针对的是侵权人，是通过对侵权人追究法律责任的方式，来打击和制裁各种侵害妇女权益的违法行为。总之，救助措施和法律责任二者在维护妇女权益方面是各有侧重，互为补充，构成了一个有效维护妇女权益的全过程和整体网络。

第五十四条　妇女组织对于受害妇女进行诉讼需要帮助的，应当给予支持。

妇女联合会或者相关妇女组织对侵害特定妇女群体利益的行为，可以通过大众传播媒介揭露、批评，并有权要求有关部门依法查处。

【释义】 本条是关于妇女组织对受害妇女提供诉讼帮助以及对侵害特定妇女群体利益的行为，予以揭露、批评，并有权要求有关部门依法查处的规定。

目前，在保障妇女权益方面，我国已基本形成了以各级人民政府为主导，司法机关配合，妇联、工会、青年团等社会团体积极参与的社会化工作格局。在这一格局中，各级妇联组织以其自身的特点和优势，发挥了十分重要的作用。

许多地方的妇联组织与司法、民政、公安部门、法院、城乡基层群众性自治组织以及高校等单位合作，成立妇女法律援助站，支持受害妇女进行维权诉讼。目前全国已有 10 多个省的妇联组织与司法机关合作开展妇女法律服务，在司法机关成立的法律援助中心中，专门设立了妇女法律援助站，工作室多设在同级妇联。如安徽省 108 个市、县妇联组织成立了妇女法律服务站 235 个，为受害妇女进行诉讼需要帮助的，给予支持和帮助。

针对家庭暴力案件的诉讼中，受害妇女需要作伤情鉴定的问题，许多地方的妇联组织与有关部门、单位合作建立了伤情鉴定中心。目前，全国已有 21 个省份的妇联组织与司法部门或者医学高等院校合作建立了家庭暴力伤情鉴定中心，其中省级 6 个（海南、福建、浙江、山东、陕西、江西），地（市）级 101 个，县乡级 250 多个，为受侵害妇女提供司法鉴定，从而在获取诉讼证据方面，支持和帮助了受害妇女。

本条第 2 款中规定的所谓“侵害特定妇女群体利益的行为”是指目前一些地方出现的贬低损害妇女人格尊严的行为，像云南出现的人体宴、四川的母乳宴等，还有在宣传媒体、广告和文艺作品中出现的有损妇女人格和群体利益的作品等。对于发生的此类违法行为，妇女联合会可以通过大众传播媒介揭露、批评，并有权要求有关部门依法查处。对此类违法行为，文化、广播电影电视、新闻出版等相关主管部门也要依法责令改正，并依法对违法者给予行政处罚。

这里还要指出一点，在本法审议过程中有意见提出，当妇女群体利益受到侵害时，可否由妇女组织提起群体诉讼。我们在研究修改的过程中对此问题也进行了认真的研究。群体诉讼又称“代表人诉讼”或“团伙诉讼”，是指当事人一方或者双方人数众多，由该群体中的一人或者数人代表群体起诉或应诉，法院所作判决裁定对该群体所有成员均有约束力的诉讼。

群体诉讼制度在疏导社会冲突、维护社会稳定方面，在节约审判资源方面，以及保护弱势群体方面都有很大的优势，但是考虑到这一问题涉及我国的诉讼制度，国际上有关群体诉讼的规则与我国现行的《民事诉讼法》的相关内容存在很大差异。如果此次在修改本法中加入这一内容，时机还不成熟，将来可以考虑在修改《民事诉讼法》的时候对有关群体诉讼的问题一并加以研究。因此，在此次修改本法的过程中，没有对妇女组织提起群体诉讼的问题作出规定，而是规定对侵害特定妇女群体利益的行为，妇女联合会等妇女组织可以通过大众传播媒介予以揭露、批评，并有权要求有关部门依法查处。

第五十五条　违反本法规定，以妇女未婚、结婚、离婚、丧偶等为由，侵害妇女在农村集体经济组织中的各项权益的，或者因结婚男方到女方住所落户，侵害男方和子女享有与所在地农村集体经济组织成员平等权益的，由乡镇人民政府依法调解；受害人也可以依法向农村土地承包仲裁机构申请仲裁，或者向人民法院起诉，人民法院应当依法受理。

【释义】　本条是关于对妇女在农村集体经济组织中的各项权益受到侵害，或者因结婚男方到女方住所落户，男方和子女的权益受到侵害的法律救济渠道的规定。

对于违反本法规定，以妇女未婚、结婚、离婚、丧偶等为由，侵害妇女在农村集体经济组织中的各项权益的,或者因结婚男方到女方住所落户,侵害男方和子女享有与所在地农村集体经济组织成员平等权益的,受害人可以用请求调解、申请仲裁、提起诉讼三种方式维护自己的合法权益。

(一)由乡镇人民政府依法调解。本条规定的由乡镇人民政府调解,其性质是一种行政调解。行政调解分为两种:一是基层人民政府,即乡、镇人民政府对一般民间纠纷的调解,这是诉讼外调解;二是国家行政机关依照法律规定对某些特定民事纠纷或经济纠纷或劳动纠纷等进行的调解,这些都是诉讼外调解。除了行政调解外,我国的调解制度还有以下三种:(1)人民调解。即民间调解,是人民调解委员会对民间纠纷的调解,属于诉讼外调解。(2)法院调解。这是人民法院对受理的民事案件、经济纠纷案件和轻微刑事案件进行的调解,是诉讼内调解。对于婚姻案件,诉讼内调解是必经的程序,至于其他民事案件是否进行调解,取决于当事人的自愿,调解不是必经程序。法院调解书与判决书有同等效力。(3)仲裁调解。即仲裁机构对受理的仲裁案件进行的调解,调解不成即行裁决,这也是诉讼外调解。

(二)依法向农村土地承包仲裁机构申请仲裁。本条规定的仲裁,主要是有关《农村土地承包法》规定的仲裁,其属于一种特殊的经济纠纷的仲裁方式,不同于仲裁法规定的一般经济纠纷的仲裁。其不同点在于:(1)申请程序不同。一般经济纠纷的仲裁,要求双方当事人在事先或事后达成仲裁协议,然后才能据此向仲裁机构提出仲裁申请;而农村土地承包经营纠纷的仲裁,则不要求当事人事先或事后有仲裁协议,只要当事人一方提出申请,有关的仲裁机构即可受理。(2)仲裁机构设置不同。仲裁法规定的仲裁机构,主要在直辖市、省会城市及根据需要在其他设区的市设立,不按行政区划层层设立;而农村土地承包仲裁机构的设置,主要是在县、乡两级。(3)裁决的效力不同。一般经济纠纷的仲裁,"实行一裁终局制度”，即仲裁裁决作出后，当事人就同一纠纷再申请仲裁或者向人民法院起诉的，仲裁委员会或者人民法院不予受理；土地承包经营纠纷的仲裁，当事人对裁决不服的，可以在收到裁决书之日起30日内向人民法院起诉，逾期不起诉的，裁决书即发生法律效力。农村土地承包仲裁的裁决不是终局的，法律规定仲裁这一程序，主要是考虑到这类纠纷的处理专业性较强，由一些熟悉这方面业务的人员来处理效果比较好，有利于快速、高效地解决纠纷，同时也在一定程度上减轻了法院的诉讼压力，节约了审判资源。与诉讼相比，农村土地承包仲裁程序简便，处理争议较快。但是，仲裁裁决书发生法律效力后，当事人不履行仲裁裁决的，仲裁机构不能强制执行，而只能另行申请人民法院强制执行。

（三）依法向人民法院提起诉讼，人民法院应当受理。《农村土地承包法》第52条规定：“当事人对农村土地承包裁决机构的仲裁不服的，可以在收到裁决书之日起三十日内向人民法院起诉，逾期不起诉的，裁决书即发生法律效力。”根据这一规定，对于以妇女未婚、结婚、离婚、丧偶等为由，侵害妇女在农村集体经济组织中的各项权益的，或者因结婚男方到女方住所落户，侵害男方和子女享有与所在地农村集体经济组织成员平等权益的违法行为，受害人如对仲裁裁决不服的，可以依法向人民法院提起诉讼，人民法院应当受理。这里特别强调了对此类案件法院应当受理，这主要是针对目前司法实践中，一些地方的法院拒绝受理此类案件，使一些侵害妇女在农村集体经济组织中的财产权益的案件得不到及时有效地处理的问题，明确规定对于此类案件人民法院必须受理，以更好地保障农村妇女的合法权益。

这里应当指出的是，本条规定的三个程序，即请求调解、申请仲裁、提起诉讼三个程序既相互关联，又相互独立。其中调解程序是当事人自愿选择的，不是必经程序，当事人可以不经调解，直接仲裁、诉讼；仲裁也是一个自愿选择的程序，当事人可以在调解程序后，或者不经调解，直接选择仲裁；也可以不经仲裁，直接到法院诉讼。就是说，当事人可以走先调解，再仲裁，最后诉讼的程序，也可以选择其中的一项或者两项程序进行，这全凭当事人的自愿。法律作这样的规定，主要目的是方便当事人，给当事人在维权的道路上以较大的自主选择权，以充分保障她们的合法权益；同时，在另一方面，国家也可以有效地利用多种解决纠纷的资源，加以综合利用，以最大限度地保障当事人行使诉权，高效率地解决纠纷，维护当事人的权利和法律关系的稳定。

第五十六条　违反本法规定，侵害妇女的合法权益，其他法律、法规规定行政处罚的，从其规定；造成财产损失或者其他损害的，依法承担民事责任；构成犯罪的，依法追究刑事责任。

【释义】 本条是关于违反本法规定的违法行为所应承担的法律责任的一个综合性的规定。

对于违反本法规定的违法行为，本法没有规定具体的法律责任，而是与其他法律相衔接，其他法律、法规规定了法律责任的，就依其规定，这样处理条文显得比较简捷，而且也避免了不必要的重复。作为保障妇女各方面合法权益的一个综合性的法律，其不可避免地存在与其他相关的法律的关系问题，如《义务教育法》《劳动法》《婚姻法》《人口与计划生育法》《治安管理处罚法》等，如何处理与这些法律的关系是本法面临的一个重要问题。我们在立法中考虑，一方面要注意与这些相关法律的衔接，一些必要的重复性规定在相关的各方面的权益保障方面一定要有，否则难以保障本法体系的完整性；另一方面，在法律责任一章中，设计了本条这样一个综合性的法律责任的规定，其他法律、法规已经规定法律责任的，本法即从其规定，这样避免了一些不必要的重复，也保证了与其他法律的衔接。

本条规定了行政责任、民事责任和刑事责任三种法律责任。

（一）行政责任。行政责任包括行政处罚和行政处分，本条主要规定的是行政处罚。根据《行政处罚法》的规定，行政处罚的种类有：警告；罚款；没收违法所得、没收非法财物；责令停产停业；暂扣或者吊销许可证、暂扣或者吊销执照；行政拘留。

警告又称申诫罚，有告诫的意思，就是当公民、法人或者其他组织有违反行政管理秩序的行为时，行政机关可以责令其立即改正违法行为，告诫其应当遵守法律、法规的有关规定，不能违法。警告是六种处罚中相对比较轻的一种处罚，所以行政处罚法对其设定权的规定比较宽松，法律、法规、规章都可以设定警告的处罚，并且行政机关适用简易程序即可当场作出处罚决定，不必经过调查、收集证据等一般程序。

吊销执业证书又称为行为罚，是行政机关剥夺违法行为人已获得的从事某种活动的资格的处罚形式。由于吊销执业证书剥夺了当事人的执业权利，因而是比较严厉的处罚种类，必须适用一般程序作出处罚决定，在处罚决定作出之前，当事人还享有要求行政机关举行听证的权利。

没收违法所得和罚款又称为财产罚。所谓财产罚是指使被处罚的当事人的财产权利和利益受到损害的行政处罚，主要是对当事人的财产权予以剥夺，并不影响违法者的人身自由和进行其他活动的权利。财产罚的形式主要表现为没收其不合法占有的财物和金钱，或使其缴纳一定数额的金钱，即没收违法所得、没收非法财物和罚款。财产罚必须以制裁违法行为为目的，依法适用，不能滥用和乱用，否则必然会产生种种弊端。

行政拘留又称为人身罚，是公安机关对违反治安管理的当事人，在短期内限制其人身自由的处罚形式。行政拘留是行政处罚中最严厉的处罚种类，只有县级以上公安机关才具有行政拘留的决定权。行政拘留一般适用于严重违反治安管理的行为人，只有在使用警告和罚款的处罚手段不足以惩治违法者时才适用行政拘留。对于已满14周岁不满16周岁的,或者已满16周岁不满18周岁、初次违反治安管理的未成年人,70周岁以上的老人,怀孕或正在哺乳自己不满1周岁婴儿的妇女不适用行政拘留。行政拘留的期限一般为1日以上,15日以下,合并执行的,最长不超过20日。

(二)民事责任。民事责任是指公民或法人在违反自己的民事义务或侵犯他人的民事权利时所应承担的法律后果。构成民事责任的条件包括:(1)损害事实;(2)违法行为;(3)因果关系;(4)主观过错。承担民事责任的形式,在财产关系方面,表现为恢复被违法行为所破坏的财产权利;在人身方面,除恢复人身权利外,还必须赔偿因此而受到的财产损失。我国《民法通则》所规定的承担民事责任的方式有:(1)停止侵害;(2)排除妨害;(3)消除危害;(4)返还财产;(5)恢复原状;(6)修理、重作、更换;(7)赔偿损失;(8)支付违约金;(9)消除影响、恢复名誉;(10)赔礼道歉。

民事责任中很重要的一种责任是侵权的民事责任,是指行为人由于过错侵害他人的财产、人身权利,依法应承担的民事赔偿责任。侵权民事责任主要是一种财产责任,它以财产赔偿的方式制裁致害人,从而补偿受害人所受到的损失。侵权民事责任的构成要件有:第一,侵权损害事实;第二,必须有民事违法行为的存在;第三,侵权行为与损害结果之间有因果关系;第四,行为人主观上有过错。

致害人对其侵权行为所造成的损害,须承担全部赔偿的责任,即赔偿受害人的所有实际损失,这叫全部赔偿原则。适用全部赔偿原则,尤其应当注意三个问题。第一,不能把刑法上的量刑标准搬到民事责任上来。在刑法上,犯罪行为的性质、社会危害程度、罪过形式和程度以及犯罪分子的个人情况等,都是量刑的重要依据。然而,在民法上的损害赔偿范围,完全是根据损害的大小来确定的。违法行为的过错程度、违法行为人的个人情况等,通常对于确定侵权行为人应负赔偿责任范围的大小并无实际意义。第二,不能把实际损失只理解为直接损失,而且应包括间接损失。第三,适用全部赔偿原则时,还要从实际情况出发,既要公平合理,又要实事求是,切实可行。

(三)刑事责任。刑事责任,又称刑罚,是依据国家刑事法律规定,对实施犯罪行为的行为人所给予的处罚。行政处罚和刑罚的本质区别在于行政处罚是对实施尚未构成犯罪的轻微违法行为的当事人所给予的处罚;而刑罚是对实施犯罪行为的当事人所给予的处罚。依照我国《刑法》的规定,刑罚包括主刑和附加刑两种。主刑有管制、拘役、有期徒刑、无期徒刑和死刑;附加刑有罚金、剥夺政治权利和没收财产。此外,对于犯罪的外国人,可以独立适用或者附加适用驱逐出境。

对于违反本法规定侵害妇女的合法权益的违法行为,如果情节严重,构成犯罪的,要依法追究行为人的刑事责任。

第五十七条　违反本法规定,对侵害妇女权益的申诉、控告、检举,推诿、拖延、压制不予查处,或者对提出申诉、控告、检举的人进行打击报复的,由其所在单位、主管部门或者上级机关责令改正,并依法对直接负责的主管人员和其他直接责任人员给予行政处分。

国家机关及其工作人员未依法履行职责,对侵害妇女权益的行为未及时制止或者未给予受害妇女必要帮助,造成严重后果的,由其所在单位或者上级机关依法对直接负责的主管人员和其他直接责任人员给予行政处分。

违反本法规定,侵害妇女文化教育权益、劳动和社会保障权益、人身和财产权益以及婚姻家庭权益的,由其所在单位、主管部门或者上级机关责令改正,直接负责的主管人员和其他直接责任人员属于国家工作人员的,由其所在单位或者上级机关依法给予

行政处分。

【释义】 本条是关于对违反本法规定的违法行为,依法给予行政处分的法律责任的规定。

本条法律责任针对的责任主体是国家工作人员,根据《刑法》第93条的规定,国家工作人员是指国家机关从事公务的人员。国有公司、企业、事业单位、人民团体中从事公务的人员和国家机关、国有公司、企业、事业单位委派到非国有公司、企业、事业单位、社会团体从事公务的人员,以及其他依照法律从事公务的人员,以国家工作人员论。

本条第1款规定对侵害妇女权益的申诉、控告、检举,任何机关、组织、企业事业单位都要认真对待,依法予以查处,绝不能推诿、拖延、压制不予查处,更不能对提出申诉、控告、检举的人进行打击报复。对于发生本款规定的违法行为,要由违法行为人所在单位、主管部门或者上级机关责令改正,并依法对直接负责的主管人员和其他直接责任人员给予行政处分,情节严重,构成犯罪的,还要依法追究刑事责任,包括渎职罪和打击报复罪。

本条第2款规定国家机关及其工作人员依法承担维护妇女权益的职责,对侵害妇女权益的行为应当及时制止,并且对受害妇女应当给予必要的帮助。如果国家机关及其工作人员未依法履行职责,造成严重后果的,由其所在单位或者上级机关对直接负责的主管人员和其他直接责任人员依法给予行政处分,情节严重构成犯罪的,还要依法追究行为者的渎职罪。

对于违反本法规定侵害妇女六大合法权益的违法行为,要由行为人所在单位、主管部门或者上级机关责令改正,直接负责的主管人员和其他直接责任人员属于国家工作人员的,由其所在单位或者上级机关依法给予行政处分。本条第3款规定的是一个综合性的行政处分责任,其针对的违法行为包括了违反本法规定,侵犯妇女各方面合法权益的所有违法行为,只要依法应当予以行政处分的,都要追究其行政处分的法律责任。

本条规定的法律责任为行政处分责任。行政处分是行政机关内部,上级对有隶属关系的下级违反纪律的行为或者是对尚未构成犯罪的轻微违法行为所给予的纪律制裁。根据《公务员法》的规定,行政处分的种类有六种,从轻到重依次为警告、记过、记大过、降级、撤职、开除。(1)警告。有提醒注意、不致再犯的意思,属于申诫处分。根据《公务员法》的规定,公务员受警告处分期间,可以晋升工资档次,但不得晋升职务和级别。(2)记过、记大过。这是两种程度有所区别的行政处分。一般来说,记过、记大过适用于公务员的行为违反了法律法规的规定,给国家和人民造成了一定的损失,给予警告处分过轻,给予降级处分过重的情况。(3)降级。作为一种行政处分,降级的含义是降低公务员的职务级别,降级也要降低工资中的级别工资。受降级处分期间,不得晋升职务和级别,也不得晋升工资档次。(4)撤职。公务员的行政违法行为,给国家和人民利益造成重大损失,不适合继续担任原职务的,可以给予撤职处分。受撤职处分的,同时降低级别和职务工资。受撤职处分期间,不得晋升工资和级别,也不能晋升工资档次。(5)开除。开除是指受处分人不适合继续在国家机关工作,国家机关取消其公务员资格令其离开的处分形式。开除是最严厉的一种处分,适用于公务员犯有违法行为,给国家和人民造成了极其严重的损失,丧失了国家公务员的资格的情况。开除的行政处分不能解除。根据《公务员法》的规定,公务员受开除以外的行政处分,在受处分期间有悔改表现,并且没有再发生违纪行为的,处分期满后由原处分决定机关解除行政处分。但是,解除降级、撤职处分不视为恢复原级别、原职务。解除行政处分后,晋升职务、级别和工资档次不再受行政处分的影响。行政处分决定和解除行政处分的决定应当以书面形式通知本人。

行政处分和行政处罚虽然同属行政责任的一种,但两者是不同的:第一,适用对象不同,行政处分只适用于国家公职人员,不适用于社会上一般的公民;而行政处罚则适用于所有的公民、法人或其他组织。第二,适用的违法行为不同,行政处分与行政处罚都适用于行政违法行为,但行政处分适用的是一般的违法失职行为,而行政处罚则适用于违反某种特定的,设定有行政处罚的法律、法规、规章的违法行为。第三,实施处罚的机关不同。实施行政处分的机关必须是被处分人员所在单位或者行政监察机关,实施行政处罚的机关是国家法律规定的具有行政处罚权的行政机关,法律、法规授权的具有管理公共事务职能的组织和行政机关依照法律、法规、规章的规定,在其法定权限内委托的组织。第四,执行不同。行政处分只能由国家机关和依法履行管理职能的事业单位执行;而行政处罚则由行政机关执行,也可由行政机关申请人民法院强制执行。第五,救济的渠道不同。行政处罚的救济渠道为行政复议和行政诉讼,当事人对行政处罚不服的,可以向该行政机关的上级行政机关申请行政复议,也可以向人民法院就行政机关的行政处罚行为提起行政诉讼。行政处分的救济渠道为复核和申诉,当事人对行政处分不服的,可以自知道该处理决定之日起 30 日向原处理机关申请复核;对复核结果不服的,可以自接到复核决定之日起 15 日内,按照规定向同级公务员主管部门或者作出处理的机关的上一级机关提出申诉;也可以不经复核,自知道处理决定之日起 30 日内直接提出申诉。对省级以下机关作出的申诉处理决定不服的,可以向作出处理决定的上一级机关提出申诉。行政机关公务员对处分不服向行政监察机关申诉的,监察机关经审查认为原行政处分决定是错误的,应当及时予以纠正;造成名誉损害的,应当负责恢复名誉、消除影响、赔礼道歉;造成经济损失的,应当负赔偿责任。

对于违反本条规定的违法行为,如果情节严重,构成犯罪的,要依法追究当事人的刑事责任,这里主要涉及报复陷害罪和渎职罪等罪名。

1. 报复陷害罪。国家机关工作人员滥用职权、假公济私，对提出申诉、控告、检举的妇女进行报复陷害的，依据《刑法》第254条的规定，要对行为人处2年以下有期徒刑或者拘役；情节严重的，处2年以上7年以下有期徒刑。

2. 渎职罪。国家机关工作人员滥用职权或者玩忽职守，不履行或者不正确地履行维护妇女权益的职责，致使妇女权益受到严重损害的，要依据《刑法》第390条第1款的规定，对行为者处3年以下有期徒刑或者拘役；情节特别严重的，处3年以上7年以下有期徒刑。

第五十八条　违反本法规定，对妇女实施性骚扰或者家庭暴力，构成违反治安管理行为的，受害人可以提请公安机关对违法行为人依法给予行政处罚，也可以依法向人民法院提起民事诉讼。

【释义】 本条是关于对妇女实施性骚扰或者家庭暴力的违法行为的法律责任的规定。

对妇女实施性骚扰或者家庭暴力，是目前社会中存在的对妇女人身权利和婚姻家庭权利侵害方面比较突出的问题，社会各方面广为关注。应该说，从法律责任的体例结构上说，第56条已经总地规定了行政处罚、民事责任和刑事责任三种法律责任，对性骚扰和家庭暴力的法律责任是包含在其中的，但是考虑到“性骚扰”这一概念是第一次规定在法律中，有必要在法律责任中对这一问题单独加以规定，这样会使社会公众得到一个强有力的信息，即实施性骚扰和家庭暴力将受到法律的制裁，从而可以更有力地震慑实施性骚扰和家庭暴力者，减少此类案件的发生。同时，法律的规定也给执法机关提供了依法制裁的依据，保障他们有效执法，更好地保障妇女的合法权益不受侵害。

根据本条的规定，公安机关对妇女实施性骚扰或者家庭暴力的违法行为人依法予以行政处罚，必须有一个前提，就是构成违反治安管理行为，即只有实施性骚扰或者家庭暴力的违法行为，构成了《治安管理处罚法》所规定的违反治安管理的行为，才能由公安机关依法予以行政处罚。这些具体违法行为及处罚包括：

1. 对妇女实施性骚扰方面：《治安管理处罚法》中并没有出现“性骚扰”的表述，但其规定的一些侵犯公民人身权利的行为中包含了性骚扰的内容，具体包括：

（1）公然侮辱妇女的。对此行为，要由公安机关处5日以下拘留或者500元以下罚款；情节严重的，处5日以上10日以下拘留，可以并处500元以下罚款。

（2）多次发送淫秽、侮辱、恐吓或者其他信息，干扰妇女正常生活的。对此行为，要由公安机关处5日以下拘留或者500元以下罚款；情节严重的，处5日以上10日以下拘留，可以并处500元以下罚款。

（3）猥亵妇女或者在公共场所故意赤身裸体，情节恶劣的。对此行为，要由公安机关处5日以上10日以下拘留。猥亵智力残疾妇女、女性精神病人、不满14周岁的女性未成年人或者有其他严重情节的，处10日以上15日以下拘留。

2. 对妇女实施家庭暴力方面：同样，《治安管理处罚法》中也没有出现“家庭暴力”的表述，但其规定的一些侵犯公民人身权利的行为中同样包含了家庭暴力的内容，具体包括：虐待家庭成员，被虐待人要求处理的，由公安机关处5日以下拘留；情节轻微的，可以处警告。

对妇女实施性骚扰或者家庭暴力的违法行为，受害妇女可以提请公安机关依法对违法者予以行政处罚，以维护妇女的合法权益。

本条也规定了对实施性骚扰或者家庭暴力的违法行为的民事法律责任。法律之所以单独对此类违法行为规定民事法律责任，主要是考虑到对实施性骚扰或者家庭暴力的违法行为的追究，除了依靠公安机关的行政处罚外，更重要的是受害妇女要确立自主维权的意识，勇敢地拿起法律武器维护自身的合法权益。法律明确规定受害妇女对此类案件也可以依法向人民法院提起民事诉讼，请求追究违法者的民事侵权责任，一方面鼓励妇女依法维权；另一方面也为法院受理此类案件提供了法律依据。

当然，由于本法是第一次将“性骚扰”这个概念写入法律，司法实践中如何处理此类案件也会产生许多问题，如性骚扰的界定，举证责任的分配等等，需要根据实践的需要，由其他法律法规和司法解释作出进一步的具体规定，以保证本法规定的落实。

这里应当提到的一点是，对于性骚扰和家庭暴力案件，受害妇女可以向人民法院提起民事诉讼，依法追究违法行为人的民事责任，如要求赔礼道歉、恢复名誉、请求侵权损害赔偿等。在侵权损害赔偿中，除了物质赔偿外，依法要求精神损害赔偿也是很重要的。所谓精神损害赔偿，是指公民因其人身权利受到不法侵害而遭受精神痛苦或精神利益受到损害，要求侵权人进行金钱赔偿的一种法律制度。精神损害赔偿的条件，根据最高人民法院 2001 年 3 月 8 日发布的《关于确定民事侵权精神损害赔偿责任若干问题的解释》（以下简称《解释》）的规定，妇女受到性骚扰，或者因遭受家庭暴力而导致离婚的，可以依据《解释》的第一种情况，即人格权利受到侵害，向法院请求精神损害赔偿。

当事人承担精神损害赔偿责任的方式有：致人精神损害，未造成严重后果的，可判令侵权人停止侵害、恢复名誉、消除影响、赔礼道歉；造成严重后果的，应根据受害人一方的请求同时判令侵权人赔偿相应的精神损害抚慰金。精神损害赔偿应起到三个作用：一是对受害人的抚慰；二是对加害人的制裁；三是对社会上一般人的警示。只有符合这三点要求，这样的赔偿数额就是合适的，而不在于究竟是多是少。法院确定精神损害赔偿数额一般根据以下因素:(1)侵权人的过错程度,法律另有规定的除外;(2)侵害的手段、场合、行为方式等具体情节;(3)侵权行为所造成的后果;(4)侵权人的获利情况;(5)侵权人承担责任的经济能力;(6)受诉法院所在地的平均生活水平。

对于实施家庭暴力的违法行为,除了依法予以行政处罚,承担民事侵权责任外,如果情节严重构成犯罪的,还要依法追究行为人虐待罪的刑事责任。

对于犯虐待罪的,如果没有造成被害人重伤、死亡的严重后果,是遵循不告不理的原则,即告诉的才处理。但如果被害人受强制或者威吓而无法告诉的,人民检察院和被害人的近亲属也可以告诉。但对于造成被害人重伤、死亡的严重后果的虐待行为,则要由司法机关主动依法对行为人追究刑事责任,不受被害人是否告诉的限制。

第五十九条①　违反本法规定,通过大众传播媒介或者其他方式贬低损害妇女人格的,由文化、广播电影电视、新闻出版或者其他有关部门依据各自的职权责令改正,并依法给予行政处罚。

【释义】 本条是关于对通过大众传播媒介或者其他方式贬低损害妇女人格的违法行为追究法律责任的规定。

本法第42条明确规定:"妇女的名誉权、荣誉权、隐私权、肖像权等人格权受法律保护。禁止用侮辱、诽谤等方式损害妇女的人格尊严。禁止通过大众传播媒介或者其他方式贬低损害妇女人格。未经本人同意,不得以营利为目的,通过广告、商标、展览橱窗、报纸、期刊、图书、音像制品、电子出版物、网络等形式使用妇女

① 2018年10月26日《全国人民代表大会常务委员会关于修改〈中华人民共和国野生动物保护法〉等十五部法律的决定》将本条中的"广播电影电视"修改为"广播电视、电影"。

肖像。”这就明确规定了国家依法保障妇女的人格权，严禁通过大众传播媒介或者其他方式贬低损害妇女人格。

对于发生的此类违法行为，妇女联合会可以通过大众传播媒介揭露、批评，并有权要求有关部门依法查处。并由文化、广播电影电视、新闻出版或者其他有关部门依据各自的职责责令改正，并依法给予行政处罚。责令改正并不是一种行政处罚，而是实施每一种行政处罚的一个前置条件，一个必经过程，即实施每一种行政处罚之前，都应当首先责令当事人改正违法行为，消除违法行为后果，然后才是实施行政处罚，因为实施行政处罚的目的绝不是为罚而罚，而是为了维护公共利益和社会秩序，保护公民、法人或者其他组织的合法权益，纠正违法行为，教育公民、法人自觉守法。为此，《行政处罚法》第23条明确规定：“行政机关实施行政处罚时，应当责令当事人改正或者限期改正违法行为。”对于通过大众传播媒介或者其他方式贬低损害妇女人格的违法行为，文化、广播电影电视、新闻出版等部门可以通过批评教育的方法，责令有关当事人改正违法行为。

同时，文化、广播电影电视、新闻出版或者其他有关部门要依据各自的职权范围，依据国家的有关法律、法规和规章的规定，对通过大众传播媒介或者其他方式贬低损害妇女人格的违法行为，给予行政处罚。

第九章　附　　则

第六十条　省、自治区、直辖市人民代表大会常务委员会可以根据本法制定实施办法。

民族自治地方的人民代表大会，可以依据本法规定的原则，结合当地民族妇女的具体情况，制定变通的或者补充的规定。自治区的规定，报全国人民代表大会常务委员会批准后生效；自治州、自治县的规定，报省、自治区、直辖市人民代表大会常务委员会批准后生效，并报全国人民代表大会常务委员会备案。

【释义】　本条是关于授权地方人大、民族自治地方依据本法制定实施办法和民族自治地方变通或者补充规定的规定。

根据《立法法》的规定，省、自治区、直辖市的人民代表大会及其常委会根据本行政区域的具体情况和实际需要，在不同宪法、法律、行政法规相抵触的前提下，可以制定地方性法规。地方性法规的一个重要任务是为执行法律、行政法规的规定，根据本行政区域的实际情况，制定执行性的规定。

1992 年，本法通过之后，全国绝大部分的省、自治区、直辖市人大都制定了本地区实施本法的实施办法，这些地方性法规通过对国家的法律予以细化，根据本地区的实际情况，作出执行性的规定，对保障本法在本省范围内的实施具有重要意义。此次，国家对本法的修改，在保障妇女六大权益方面，都增加了不少新的、针对新时期妇女权益保障工作中出现的新问题而作出的更有针对性的规定，把原法从 54 条增加到了 61 条。对这些增加的内容，地方需要根据《立法法》的规定，考虑对已经制定的妇女权益保障方面的地方性法规，根据新的法律规定予以修改完善，争取在 2005 年 12 月 1 日法律修正案正式实施之前，完成这项工作。在各省、自治区、直辖市人大及其常委会还未审议通过对本地方妇女权益保障的法规的修改决定之前，原地方性法规仍然有效。

根据《宪法》规定，各少数民族聚居的地方实行民族区域自治，设立自治机关、行使自治权。自治机关包括自治区、自治州和自治县。自治条例和单行条例是自治机关行使自治权的重要方式。《立法法》规定："自治条例和单行条例可以依照当地民族的特点，对法律和行政法规的规定作出变通规定，但不得违背法律或者行政法规的基本原则，不得对宪法和民族区域自治法的规定以及其他有关法律、行政法规专门就民族自治地方所作的规定作出变通规定。"对于本法来说，其保障的是全国各民族妇女的合法权益，为了更好地保障少数民族妇女的合法权益，民族自治地方需要根据当地民族妇女的特点，对本法作出变通或者补充的规定。

应当指出三点：一是这种变通的或者补充的规定，应当确立一个前提，就是遵循国家法律的基本原则，不得对法律规定的基本原则进行变通。就本法而言，涉及变通或者补充的内容，应当主要围绕在婚姻家庭领域对妇女权益保障方面的规定进行。二是对本法的变通或者补充规定，属于局部变通或者补充。对未作变通规定的，仍应按照本法执行，以维护国家法律的统一和尊严。三是依据《宪法》、《立法法》和《民族区域自治法》的规定，自治区所作的变通或者补充的规定，需报全国人民代表大会常务委员会批准后生效；自治州、自治县所作的变通或者补充的规定，需报省、自治区直辖市人民代表大会常务委员会批准后生效，并报全国人民代表大会常务委员会备案。

原法附则中第 53 条除了授权地方人大和民族自治地方人大制定本法的实施办法以及变通的或者补充的规定外，还在第 1 款规定"国务院有关部门可以根据本法制定有关条例，报国务院批准”,此次修订删去了这一款规定,理由是:第一,根据《立法法》规定,行政法规不再采取国务院有关部门制定后报国务院批准的方式制定,这一款规定与《立法法》不衔接;第二,国务院可以根据本法制定一个或者几个配套的行政法规,但不一定制定一个实施办法;第三,国务院和国务院有关部门根据本法制定行政法规和规章,《立法法》已有规定,这里不必再重复。根据上述考虑,最后删去了这一款规定,但是删去这一规定,不等于国务院和国务院有关部门就不再做这方面的配套行政法规和规章了。根据《立法法》的规定,为了保障法律的贯彻执行,国务院和国务院有关部门有权依据本法制定配套的行政法规和规章。国务院有关部门应当根据新的《妇女权益保障法》的规定,对已有规章予以补充、完善。

第六十一条　本法自 1992 年 10 月 1 日起施行。

【释义】　本条是关于法律施行日期的规定。

法律的施行日期也就是法律的生效日期。正确理解法律的生效日期,是运用法律不可缺少的条件。法律的生效日期,一般根据该项法律的性质和实际需要来决定,通常有三种方式:第一种是法律条文中明确规定,从其公布之日起生效施行。这种方式一般在修订法律的情况下使用,考虑到是对现行法律的修改,所以法律修改决定或修正案一般自公布之日起施行。第二种是法律公布后并不立即生效施行,需要经过一定时期后才开始生效施行,但在法律中明确规定该项法律的施行日期。第三种是法律公布后,先予以试行,然后由立法部门予以补充修改,再通过为正式法律,予以公布施行,在试行期间该法律也具有约束力。还有一种特殊的生效形式,即法律的施行日期以其他法律的施行为条件,这样的情况不多见了。

在我国,绝大多数法律的生效施行采用的是上述第二种形式,即法律公布后并不立即生效施行,而是经过一段时间以后才生效施行,1992 年通过的《妇女权益保障法》即是采用的这一形式。根据本条的规定,对《妇女权益保障法》的修改决定将于 2005 年 12 月 1 日起施行,也就是说从法律公布之日到法律施行之时,相隔了 3 个月的时间。之所以规定间隔 3 个月的时间,就是考虑到对修改后的本法的贯彻执行还需要一段宣传教育和实施准备时间,以便解决好妇女权益保障的地方性法规与国家立法的衔接问题。

为了贯彻实施好新的《妇女权益保障法》,从现在开始到 2005 年 12 月 1 日这段时间里,各地方要做好如下工作:

(1)要做好地方性法规、规章的修订工作。国务院有关部门和地方人大、政府都要依据新的《妇女权益保障法》,做好对原法规、规章的修订工作,以保障新的《妇女权益保障法》在本地区、本部门得到很好的贯彻、执行。

(2)要广泛深入地组织开展学习、宣传、贯彻新的《妇女权益保障法》的活动,采取多种途径,对广大干部群众做好法律的宣传教育工作。通过宣传教育,使他们充分认识到男女平等是我国的基本国策,国家机关、社会团体、企业事业单位都要切实贯彻执行《妇女权益保障法》,重视妇女事业的发展和保障妇女权益的各项工作。同时要对广大干部群众宣传立法的指导思想、基本原则以及法律规定的主要内容。要把各级领导干部、各单位负责人以及广大妇女群众及各级妇联干部列为学习、宣传的重点对象,通过学习、宣传,促进和推动《妇女权益保障法》的贯彻实施。

这里应当指出的是,本条规定的实施日期是《全国人民代表大会常务委员会关于修改〈中华人民共和国妇女权益保障法〉的决定》的施行日期,不是《妇女权益保障法》的施行日期。因为,此次是以修正案的形式对原法进行修改,所以修改后的《妇女权益保障法》的施行日期仍然是原法的施行日期,即 1992 年 10 月 1 日。

第二部分　附　　录

中华人民共和国妇女权益保障法

（1992 年 4 月 3 日第七届全国人民代表大会第五次会议通过
根据 2005 年 8 月 28 日第十届全国人民代表大会常务委员会
第十七次会议《关于修改〈中华人民共和国
妇女权益保障法〉的决定》修正）

目　　录

第一章 总 则

第一条 为了保障妇女的合法权益，促进男女平等，充分发挥妇女在社会主义现代化建设中的作用，根据宪法和我国的实际情况，制定本法。

第二条 妇女在政治的、经济的、文化的、社会的和家庭的生活等各方面享有同男子平等的权利。

实行男女平等是国家的基本国策。国家采取必要措施，逐步完善保障妇女权益的各项制度，消除对妇女一切形式的歧视。

国家保护妇女依法享有的特殊权益。

禁止歧视、虐待、遗弃、残害妇女。

第三条 国务院制定中国妇女发展纲要，并将其纳入国民经济和社会发展规划。

县级以上地方各级人民政府根据中国妇女发展纲要，制定本行政区域的妇女发展规划，并将其纳入国民经济和社会发展计划。

第四条 保障妇女的合法权益是全社会的共同责任。国家机关、社会团体、企业事业单位、城乡基层群众性自治组织，应当依照本法和有关法律的规定，保障妇女的权益。

国家采取有效措施，为妇女依法行使权利提供必要的条件。

第五条 国家鼓励妇女自尊、自信、自立、自强，运用法律维护自身合法权益。

妇女应当遵守国家法律，尊重社会公德，履行法律所规定的义务。

第六条 各级人民政府应当重视和加强妇女权益的保障工作。

县级以上人民政府负责妇女儿童工作的机构，负责组织、协调、指导、督促有关部门做好妇女权益的保障工作。

县级以上人民政府有关部门在各自的职责范围内做好妇女权益的保障工作。

第七条　中华全国妇女联合会和地方各级妇女联合会依照法律和中华全国妇女联合会章程,代表和维护各族各界妇女的利益,做好维护妇女权益的工作。

工会、共产主义青年团,应当在各自的工作范围内,做好维护妇女权益的工作。

第八条　对保障妇女合法权益成绩显著的组织和个人,各级人民政府和有关部门给予表彰和奖励。

第二章　政治权利

第九条　国家保障妇女享有与男子平等的政治权利。

第十条　妇女有权通过各种途径和形式,管理国家事务,管理经济和文化事业,管理社会事务。

制定法律、法规、规章和公共政策,对涉及妇女权益的重大问题,应当听取妇女联合会的意见。

妇女和妇女组织有权向各级国家机关提出妇女权益保障方面的意见和建议。

第十一条　妇女享有与男子平等的选举权和被选举权。

全国人民代表大会和地方各级人民代表大会的代表中,应当有适当数量的妇女代表。国家采取措施,逐步提高全国人民代表大会和地方各级人民代表大会的妇女代表的比例。

居民委员会、村民委员会成员中,妇女应当有适当的名额。

第十二条　国家积极培养和选拔女干部。

国家机关、社会团体、企业事业单位培养、选拔和任用干部,必须坚持男女平等的原则,并有适当数量的妇女担任领导成员。

国家重视培养和选拔少数民族女干部。

第十三条　中华全国妇女联合会和地方各级妇女联合会代表妇女积极参与国家和社会事务的民主决策、民主管理和民主监督。

各级妇女联合会及其团体会员,可以向国家机关、社会团体、企业事业单位推荐女干部。

第十四条 对于有关保障妇女权益的批评或者合理建议,有关部门应当听取和采纳;对于有关侵害妇女权益的申诉、控告和检举,有关部门必须查清事实,负责处理,任何组织或者个人不得压制或者打击报复。

第三章 文化教育权益

第十五条 国家保障妇女享有与男子平等的文化教育权利。

第十六条 学校和有关部门应当执行国家有关规定,保障妇女在入学、升学、毕业分配、授予学位、派出留学等方面享有与男子平等的权利。

学校在录取学生时,除特殊专业外,不得以性别为由拒绝录取女性或者提高对女性的录取标准。

第十七条 学校应当根据女性青少年的特点,在教育、管理、设施等方面采取措施,保障女性青少年身心健康发展。

第十八条 父母或者其他监护人必须履行保障适龄女性儿童少年接受义务教育的义务。

除因疾病或者其他特殊情况经当地人民政府批准的以外,对不送适龄女性儿童少年入学的父母或者其他监护人,由当地人民政府予以批评教育,并采取有效措施,责令送适龄女性儿童少年入学。

政府、社会、学校应当采取有效措施,解决适龄女性儿童少年就学存在的实际困难,并创造条件,保证贫困、残疾和流动人口中的适龄女性儿童少年完成义务教育。

第十九条 各级人民政府应当依照规定把扫除妇女中的文盲、半文盲工作,纳入扫盲和扫盲后继续教育规划,采取符合妇女特点的组织形式和工作方法,组织、监督有关部门具体实施。

第二十条 各级人民政府和有关部门应当采取措施,根据城镇和农村妇女的需要,组织妇女接受职业教育和实用技术培训。

第二十一条　国家机关、社会团体和企业事业单位应当执行国家有关规定，保障妇女从事科学、技术、文学、艺术和其他文化活动，享有与男子平等的权利。

第四章　劳动和社会保障权益

第二十二条　国家保障妇女享有与男子平等的劳动权利和社会保障权利。

第二十三条　各单位在录用职工时，除不适合妇女的工种或者岗位外，不得以性别为由拒绝录用妇女或者提高对妇女的录用标准。

各单位在录用女职工时，应当依法与其签订劳动（聘用）合同或者服务协议，劳动（聘用）合同或者服务协议中不得规定限制女职工结婚、生育的内容。

禁止录用未满十六周岁的女性未成年人，国家另有规定的除外。

第二十四条　实行男女同工同酬。妇女在享受福利待遇方面享有与男子平等的权利。

第二十五条　在晋职、晋级、评定专业技术职务等方面，应当坚持男女平等的原则，不得歧视妇女。

第二十六条　任何单位均应根据妇女的特点，依法保护妇女在工作和劳动时的安全和健康，不得安排不适合妇女从事的工作和劳动。

妇女在经期、孕期、产期、哺乳期受特殊保护。

第二十七条　任何单位不得因结婚、怀孕、产假、哺乳等情形，降低女职工的工资，辞退女职工，单方解除劳动（聘用）合同或者服务协议。但是，女职工要求终止劳动（聘用）合同或者服务协议的除外。

各单位在执行国家退休制度时，不得以性别为由歧视妇女。

第二十八条　国家发展社会保险、社会救助、社会福利和医疗卫生事业，保障妇女享有社会保险、社会救助、社会福利和卫生保健等权益。

国家提倡和鼓励为帮助妇女开展的社会公益活动。

第二十九条 国家推行生育保险制度,建立健全与生育相关的其他保障制度。

地方各级人民政府和有关部门应当按照有关规定为贫困妇女提供必要的生育救助。

第五章 财 产 权 益

第三十条 国家保障妇女享有与男子平等的财产权利。

第三十一条 在婚姻、家庭共有财产关系中,不得侵害妇女依法享有的权益。

第三十二条 妇女在农村土地承包经营、集体经济组织收益分配、土地征收或者征用补偿费使用以及宅基地使用等方面,享有与男子平等的权利。

第三十三条 任何组织和个人不得以妇女未婚、结婚、离婚、丧偶等为由,侵害妇女在农村集体经济组织中的各项权益。

因结婚男方到女方住所落户的,男方和子女享有与所在地农村集体经济组织成员平等的权益。

第三十四条 妇女享有的与男子平等的财产继承权受法律保护。在同一顺序法定继承人中,不得歧视妇女。

丧偶妇女有权处分继承的财产,任何人不得干涉。

第三十五条 丧偶妇女对公、婆尽了主要赡养义务的,作为公、婆的第一顺序法定继承人,其继承权不受子女代位继承的影响。

第六章 人 身 权 利

第三十六条 国家保障妇女享有与男子平等的人身权利。

第三十七条 妇女的人身自由不受侵犯。禁止非法拘禁和以其他非法手段剥夺或者限制妇女的人身自由;禁止非法搜查妇女的身体。

第三十八条　妇女的生命健康权不受侵犯。禁止溺、弃、残害女婴；禁止歧视、虐待生育女婴的妇女和不育的妇女；禁止用迷信、暴力等手段残害妇女；禁止虐待、遗弃病、残妇女和老年妇女。

第三十九条　禁止拐卖、绑架妇女；禁止收买被拐卖、绑架的妇女；禁止阻碍解救被拐卖、绑架的妇女。

各级人民政府和公安、民政、劳动和社会保障、卫生等部门按照其职责及时采取措施解救被拐卖、绑架的妇女，做好善后工作，妇女联合会协助和配合做好有关工作。任何人不得歧视被拐卖、绑架的妇女。

第四十条　禁止对妇女实施性骚扰。受害妇女有权向单位和有关机关投诉。

第四十一条　禁止卖淫、嫖娼。

禁止组织、强迫、引诱、容留、介绍妇女卖淫或者对妇女进行猥亵活动。

禁止组织、强迫、引诱妇女进行淫秽表演活动。

第四十二条　妇女的名誉权、荣誉权、隐私权、肖像权等人格权受法律保护。

禁止用侮辱、诽谤等方式损害妇女的人格尊严。禁止通过大众传播媒介或者其他方式贬低损害妇女人格。未经本人同意，不得以营利为目的，通过广告、商标、展览橱窗、报纸、期刊、图书、音像制品、电子出版物、网络等形式使用妇女肖像。

第七章　婚姻家庭权益

第四十三条　国家保障妇女享有与男子平等的婚姻家庭权利。

第四十四条　国家保护妇女的婚姻自主权。禁止干涉妇女的结婚、离婚自由。

第四十五条　女方在怀孕期间、分娩后一年内或者终止妊娠后六个月内,男方不得提出离婚。女方提出离婚的,或者人民法院认为确有必要受理男方离婚请求的,不在此限。

第四十六条 禁止对妇女实施家庭暴力。

国家采取措施,预防和制止家庭暴力。

公安、民政、司法行政等部门以及城乡基层群众性自治组织、社会团体,应当在各自的职责范围内预防和制止家庭暴力,依法为受害妇女提供救助。

第四十七条 妇女对依照法律规定的夫妻共同财产享有与其配偶平等的占有、使用、收益和处分的权利,不受双方收入状况的影响。

夫妻书面约定婚姻关系存续期间所得的财产归各自所有,女方因抚育子女、照料老人、协助男方工作等承担较多义务的,有权在离婚时要求男方予以补偿。

第四十八条 夫妻共有的房屋,离婚时,分割住房由双方协议解决;协议不成的,由人民法院根据双方的具体情况,按照照顾子女和女方权益的原则判决。夫妻双方另有约定的除外。

夫妻共同租用的房屋,离婚时,女方的住房应当按照照顾子女和女方权益的原则解决。

第四十九条 父母双方对未成年子女享有平等的监护权。

父亲死亡、丧失行为能力或者有其他情形不能担任未成年子女的监护人的,母亲的监护权任何人不得干涉。

第五十条 离婚时,女方因实施绝育手术或者其他原因丧失生育能力的,处理子女抚养问题,应在有利子女权益的条件下,照顾女方的合理要求。

第五十一条 妇女有按照国家有关规定生育子女的权利,也有不生育的自由。

育龄夫妻双方按照国家有关规定计划生育,有关部门应当提供安全、有效的避孕药具和技术,保障实施节育手术的妇女的健康和安全。

国家实行婚前保健、孕产期保健制度,发展母婴保健事业。各级人民政府应当采取措施,保障妇女享有计划生育技术服务,提高妇女的生殖健康水平。

第八章　法律责任

第五十二条　妇女的合法权益受到侵害的,有权要求有关部门依法处理,或者依法向仲裁机构申请仲裁,或者向人民法院起诉。

对有经济困难需要法律援助或者司法救助的妇女,当地法律援助机构或者人民法院应当给予帮助,依法为其提供法律援助或者司法救助。

第五十三条　妇女的合法权益受到侵害的,可以向妇女组织投诉,妇女组织应当维护被侵害妇女的合法权益,有权要求并协助有关部门或者单位查处。有关部门或者单位应当依法查处,并予以答复。

第五十四条　妇女组织对于受害妇女进行诉讼需要帮助的,应当给予支持。

妇女联合会或者相关妇女组织对侵害特定妇女群体利益的行为,可以通过大众传播媒介揭露、批评,并有权要求有关部门依法查处。

第五十五条　违反本法规定,以妇女未婚、结婚、离婚、丧偶等为由,侵害妇女在农村集体经济组织中的各项权益的,或者因结婚男方到女方住所落户,侵害男方和子女享有与所在地农村集体经济组织成员平等权益的,由乡镇人民政府依法调解;受害人也可以依法向农村土地承包仲裁机构申请仲裁,或者向人民法院起诉,人民法院应当依法受理。

第五十六条　违反本法规定,侵害妇女的合法权益,其他法律、法规规定行政处罚的,从其规定;造成财产损失或者其他损害的,依法承担民事责任;构成犯罪的,依法追究刑事责任。

第五十七条　违反本法规定,对侵害妇女权益的申诉、控告、检举,推诿、拖延、压制不予查处,或者对提出申诉、控告、检举的人进行打击报复的，由其所在单位、主管部门或者上级机关责令改正，并依法对直接负责的主管人员和其他直接责任人员给予行政处分。

国家机关及其工作人员未依法履行职责，对侵害妇女权益的行为未及时制止或者未给予受害妇女必要帮助，造成严重后果的，由其所在单位或者上级机关依法对直接负责的主管人员和其他直接责任人员给予行政处分。

违反本法规定，侵害妇女文化教育权益、劳动和社会保障权益、人身和财产权益以及婚姻家庭权益的，由其所在单位、主管部门或者上级机关责令改正，直接负责的主管人员和其他直接责任人员属于国家工作人员的，由其所在单位或者上级机关依法给予行政处分。

第五十八条 违反本法规定，对妇女实施性骚扰或者家庭暴力，构成违反治安管理行为的，受害人可以提请公安机关对违法行为人依法给予行政处罚，也可以依法向人民法院提起民事诉讼。

第五十九条 违反本法规定，通过大众传播媒介或者其他方式贬低损害妇女人格的，由文化、广播电影电视、新闻出版或者其他有关部门依据各自的职权责令改正，并依法给予行政处罚。

第九章 附 则

第六十条 省、自治区、直辖市人民代表大会常务委员会可以根据本法制定实施办法。

民族自治地方的人民代表大会，可以依据本法规定的原则，结合当地民族妇女的具体情况，制定变通的或者补充的规定。自治区的规定，报全国人民代表大会常务委员会批准后生效；自治州、自治县的规定，报省、自治区、直辖市人民代表大会常务委员会批准后生效，并报全国人民代表大会常务委员会备案。

第六十一条 本法自 1992 年 10 月 1 日起施行。

全国人民代表大会常务委员会关于修改《中华人民共和国妇女权益保障法》的决定

（2005 年 8 月 28 日第十届全国人民代表大会常务委员会第十七次会议通过 中华人民共和国主席令第四十号公布）

第十届全国人民代表大会常务委员会第十七次会议决定对《中华人民共和国妇女权益保障法》作如下修改：

一、第二条修改为："妇女在政治的、经济的、文化的、社会的和家庭的生活等各方面享有同男子平等的权利。

"实行男女平等是国家的基本国策。国家采取必要措施，逐步完善保障妇女权益的各项制度，消除对妇女一切形式的歧视。

"国家保护妇女依法享有的特殊权益。

"禁止歧视、虐待、遗弃、残害妇女。"

二、增加一条，作为第三条："国务院制定中国妇女发展纲要，并将其纳入国民经济和社会发展规划。

"县级以上地方各级人民政府根据中国妇女发展纲要，制定本行政区域的妇女发展规划，并将其纳入国民经济和社会发展计划。"

三、第四条改为第六条，修改为："各级人民政府应当重视和加强妇女权益的保障工作。

"县级以上人民政府负责妇女儿童工作的机构，负责组织、协调、指导、督促有关部门做好妇女权益的保障工作。

"县级以上人民政府有关部门在各自的职责范围内做好妇女权益的保障工作。"

四、第五条改为第七条,修改为:"中华全国妇女联合会和地方各级妇女联合会依照法律和中华全国妇女联合会章程,代表和维护各族各界妇女的利益,做好维护妇女权益的工作。

"工会、共产主义青年团,应当在各自的工作范围内,做好维护妇女权益的工作。"

五、第九条改为第十条,增加两款作为第二款、第三款:"制定法律、法规、规章和公共政策,对涉及妇女权益的重大问题,应当听取妇女联合会的意见。

"妇女和妇女组织有权向各级国家机关提出妇女权益保障方面的意见和建议。"

六、第十条改为第十一条,第二款修改为:"全国人民代表大会和地方各级人民代表大会的代表中,应当有适当数量的妇女代表。国家采取措施,逐步提高全国人民代表大会和地方各级人民代表大会的妇女代表的比例。"

增加一款,作为第三款:"居民委员会、村民委员会成员中,妇女应当有适当的名额。"

七、第十一条改为第十二条,第二款修改为:"国家机关、社会团体、企业事业单位培养、选拔和任用干部,必须坚持男女平等的原则,并有适当数量的妇女担任领导成员。"

八、第十二条改为第十三条,增加一款作为第一款:"中华全国妇女联合会和地方各级妇女联合会代表妇女积极参与国家和社会事务的民主决策、民主管理和民主监督。"

九、第十五条改为第十六条,增加一款作为第二款:"学校在录取学生时,除特殊专业外,不得以性别为由拒绝录取女性或者提高对女性的录取标准。"

十、第十七条改为第十八条,第三款修改为:"政府、社会、学校应当采取有效措施,解决适龄女性儿童少年就学存在的实际困难,并创造条件，保证贫困、残疾和流动人口中的适龄女性儿童少年完成义务教育。”

十一、第十九条改为第二十条，修改为：“各级人民政府和有关部门应当采取措施，根据城镇和农村妇女的需要，组织妇女接受职业教育和实用技术培训。”

十二、第四章章名修改为“劳动和社会保障权益”。

十三、第二十一条改为第二十二条，修改为：“国家保障妇女享有与男子平等的劳动权利和社会保障权利。”

十四、第二十二条改为第二十三条，增加一款作为第二款：“各单位在录用女职工时，应当依法与其签订劳动（聘用）合同或者服务协议，劳动（聘用）合同或者服务协议中不得规定限制女职工结婚、生育的内容。”

第二款改为第三款：“禁止录用未满十六周岁的女性未成年人，国家另有规定的除外。”

十五、第二十三条改为第二十四条，修改为：“实行男女同工同酬。妇女在享受福利待遇方面享有与男子平等的权利。”

十六、第二十六条改为第二十七条，修改为：“任何单位不得因结婚、怀孕、产假、哺乳等情形，降低女职工的工资，辞退女职工，单方解除劳动（聘用）合同或者服务协议。但是，女职工要求终止劳动（聘用）合同或者服务协议的除外。

“各单位在执行国家退休制度时，不得以性别为由歧视妇女。”

十七、第二十七条改为第二十八条，修改为：“国家发展社会保险、社会救助、社会福利和医疗卫生事业，保障妇女享有社会保险、社会救助、社会福利和卫生保健等权益。

“国家提倡和鼓励为帮助妇女开展的社会公益活动。”

十八、增加一条，作为第二十九条：“国家推行生育保险制度，建立健全与生育相关的其他保障制度。

“地方各级人民政府和有关部门应当按照有关规定为贫困妇女提供必要的生育救助。”

十九、第三十条改为第三十二条,修改为:“妇女在农村土地承包经营、集体经济组织收益分配、土地征收或者征用补偿费使用以及宅基地使用等方面,享有与男子平等的权利。”

二十、增加一条,作为第三十三条:“任何组织和个人不得以妇女未婚、结婚、离婚、丧偶等为由,侵害妇女在农村集体经济组织中的各项权益。

“因结婚男方到女方住所落户的,男方和子女享有与所在地农村集体经济组织成员平等的权益。”

二十一、第三十五条改为第三十八条,修改为:“妇女的生命健康权不受侵犯。禁止溺、弃、残害女婴;禁止歧视、虐待生育女婴的妇女和不育的妇女;禁止用迷信、暴力等手段残害妇女;禁止虐待、遗弃病、残妇女和老年妇女。”

二十二、第三十六条改为第三十九条,修改为:“禁止拐卖、绑架妇女;禁止收买被拐卖、绑架的妇女;禁止阻碍解救被拐卖、绑架的妇女。

“各级人民政府和公安、民政、劳动和社会保障、卫生等部门按照其职责及时采取措施解救被拐卖、绑架的妇女,做好善后工作,妇女联合会协助和配合做好有关工作。任何人不得歧视被拐卖、绑架的妇女。”

二十三、增加一条,作为第四十条:“禁止对妇女实施性骚扰。受害妇女有权向单位和有关机关投诉。”

二十四、第三十七条改为第四十一条,第二款修改为:“禁止组织、强迫、引诱、容留、介绍妇女卖淫或者对妇女进行猥亵活动。”

增加一款,作为第三款:“禁止组织、强迫、引诱妇女进行淫秽表演活动。”

二十五、第三十八条与第三十九条合并,作为第四十二条,修改为:“妇女的名誉权、荣誉权、隐私权、肖像权等人格权受法律保护。

“禁止用侮辱、诽谤等方式损害妇女的人格尊严。禁止通过大众传播媒介或者其他方式贬低损害妇女人格。未经本人同意,不得以营利为目的，通过广告、商标、展览橱窗、报纸、期刊、图书、音像制品、电子出版物、网络等形式使用妇女肖像。”

二十六、第四十二条改为第四十五条，修改为：“女方在怀孕期间、分娩后一年内或者终止妊娠后六个月内，男方不得提出离婚。女方提出离婚的，或者人民法院认为确有必要受理男方离婚请求的，不在此限。”

二十七、增加一条，作为第四十六条：“禁止对妇女实施家庭暴力。

“国家采取措施，预防和制止家庭暴力。

“公安、民政、司法行政等部门以及城乡基层群众性自治组织、社会团体，应当在各自的职责范围内预防和制止家庭暴力，依法为受害妇女提供救助。”

二十八、第四十三条改为第四十七条，增加一款作为第二款：“夫妻书面约定婚姻关系存续期间所得的财产归各自所有，女方因抚育子女、照料老人、协助男方工作等承担较多义务的，有权在离婚时要求男方予以补偿。”

二十九、第四十四条改为第四十八条，删去第一款和第四款，修改为：“夫妻共有的房屋，离婚时，分割住房由双方协议解决；协议不成的，由人民法院根据双方的具体情况，按照照顾子女和女方权益的原则判决。夫妻双方另有约定的除外。

“夫妻共同租用的房屋，离婚时，女方的住房应当按照照顾子女和女方权益的原则解决。”

三十、第四十七条改为第五十一条，增加一款作为第三款：“国家实行婚前保健、孕产期保健制度，发展母婴保健事业。各级人民政府应当采取措施，保障妇女享有计划生育技术服务，提高妇女的生殖健康水平。”

三十一、第四十八条第一款改为第五十二条，修改为：“妇女的合法权益受到侵害的，有权要求有关部门依法处理，或者依法向仲裁机构申请仲裁，或者向人民法院起诉。

“对有经济困难需要法律援助或者司法救助的妇女，当地法律援助机构或者人民法院应当给予帮助，依法为其提供法律援助或者司法救助。”

三十二、第四十八条第二款改为第五十三条，修改为：“妇女的合法权益受到侵害的，可以向妇女组织投诉，妇女组织应当维护被侵害妇女的合法权益，有权要求并协助有关部门或者单位查处。有关部门或者单位应当依法查处，并予以答复。”

三十三、增加一条，作为第五十四条：“妇女组织对于受害妇女进行诉讼需要帮助的，应当给予支持。

“妇女联合会或者相关妇女组织对侵害特定妇女群体利益的行为，可以通过大众传播媒介揭露、批评，并有权要求有关部门依法查处。”

三十四、第五十条第一款第五项改为第五十五条，修改为：“违反本法规定，以妇女未婚、结婚、离婚、丧偶等为由，侵害妇女在农村集体经济组织中的各项权益的，或者因结婚男方到女方住所落户，侵害男方和子女享有与所在地农村集体经济组织成员平等权益的，由乡镇人民政府依法调解；受害人也可以依法向农村土地承包仲裁机构申请仲裁，或者向人民法院起诉，人民法院应当依法受理。”

三十五、第四十九条与第五十二条合并，作为第五十六条，修改为：“违反本法规定，侵害妇女的合法权益，其他法律、法规规定行政处罚的，从其规定；造成财产损失或者其他损害的，依法承担民事责任；构成犯罪的，依法追究刑事责任。”

三十六、第五十条改为第五十七条，修改为：“违反本法规定，对侵害妇女权益的申诉、控告、检举，推诿、拖延、压制不予查处，或者对提出申诉、控告、检举的人进行打击报复的，由其所在单位、主管部门或者上级机关责令改正，并依法对直接负责的主管人员和其他直接责任人员给予行政处分。

“国家机关及其工作人员未依法履行职责，对侵害妇女权益的行为未及时制止或者未给予受害妇女必要帮助，造成严重后果的，由其所在单位或者上级机关依法对直接负责的主管人员和其他直接责任人员给予行政处分。

“违反本法规定，侵害妇女文化教育权益、劳动和社会保障权益、人身和财产权益以及婚姻家庭权益的，由其所在单位、主管部门或者上级机关责令改正，直接负责的主管人员和其他直接责任人员属于国家工作人员的，由其所在单位或者上级机关依法给予行政处分。”

三十七、增加一条，作为第五十八条：“违反本法规定，对妇女实施性骚扰或者家庭暴力，构成违反治安管理行为的，受害人可以提请公安机关对违法行为人依法给予行政处罚，也可以依法向人民法院提起民事诉讼。”

三十八、第五十一条改为第五十九条，修改为：“违反本法规定，通过大众传播媒介或者其他方式贬低损害妇女人格的，由文化、广播电影电视、新闻出版或者其他有关部门依据各自的职权责令改正，并依法给予行政处罚。”

三十九、第五十三条改为第六十条，删去第一款；第二款作为第一款；第三款作为第二款，修改为：“省、自治区、直辖市人民代表大会常务委员会可以根据本法制定实施办法。

“民族自治地方的人民代表大会，可以依据本法规定的原则，结合当地民族妇女的具体情况，制定变通的或者补充的规定。自治区的规定，报全国人民代表大会常务委员会批准后生效；自治州、自治县的规定，报省、自治区、直辖市人民代表大会常务委员会批准后生效，并报全国人民代表大会常务委员会备案。”

本决定自 2005 年 12 月 1 日起施行。

《中华人民共和国妇女权益保障法》根据本决定作修改并对条款顺序作调整后，重新公布。

国务院关于提请审议《中华人民共和国妇女权益保障法修正案（草案）》的议案

全国人民代表大会常务委员会：

为了进一步保障妇女的合法权益，实现男女平等，充分发挥妇女在社会主义现代化建设中的作用，促进社会文明进步，中华全国妇女联合会在深入调查研究、总结《中华人民共和国妇女权益保障法》实施经验的基础上，经过广泛征求各方面的意见，拟订了《中华人民共和国妇女权益保障法修正案（草案）》。这个草案已经国务院常务会议讨论通过，现提请审议。

国务院总理　温家宝

二〇〇五年六月三日

关于《中华人民共和国妇女权益保障法修正案(草案)》的说明

国务院法制办公室主任 曹康泰

委员长、各位副委员长、秘书长、各位委员:

我受国务院的委托,现对《中华人民共和国妇女权益保障法修正案(草案)》作说明。

《中华人民共和国妇女权益保障法》(以下简称《妇女权益保障法》)自1992年10月1日施行以来,对于保障妇女的合法权益、实现男女平等发挥了重要作用。实践证明,《妇女权益保障法》确立的基本制度是正确的,有关妇女权益保障的规定也是切实可行的。但是,随着我国经济社会的发展,广大妇女的维权意识普遍提高,且当时立法所依赖的经济社会条件也发生了较大变化,妇女权益保障方面出现了一些新情况、新问题,需要从制度上加以解决:一是,在政治权利方面,广大妇女参政议政的方式和渠道有待进一步拓宽;二是,在财产权益方面,一些农村在土地承包经营和集体经济组织收益分配方面存在着男女不平等;三是,在劳动和社会保障权益方面,一些用人单位在招聘工作中限定性别,限制了妇女的就业机会;四是,在人身权利方面,拐卖妇女,强迫、引诱、利用妇女进行淫秽活动以及选择性别的人工终止妊娠、对妇女的性骚扰等现象时有发生;五是,在婚姻家庭权益方面,随着新修订的婚姻法的实施,妇女虽然获得了进一步的法律保障,但对妇女实施家庭暴力的现象仍未得到有效遏制。此外,《妇女权益保障法》对侵害妇女权益的法律责任规定比较原则,妇女儿童工作委员会的地位和作用也需要进一步规范和加强。

为了解决上述问题,中华全国妇女联合会在深入调查研究、认真总结《妇女权益保障法》实施经验的基础上,经过广泛征求各方面的意见,拟订了《中华人民共和国妇女权益保障法修正案(草案)》(以下简称修正案草案)。修正案草案已经国务院第92次常务会议讨论通过。现就修正案草案的几个主要问题说明如下:

一、关于男女平等是国家的基本国策

1995年联合国第四次世界妇女大会上,我国政府对国际社会郑重承诺:“把男女平等作为促进我国社会发展的一项基本国策。”目前,这一承诺已经写入《中国妇女发展纲要(2001—2010)》。为了履行我国政府对国际社会的承诺,维护我国在保障妇女权益方面负责任大国的国际形象,同时考虑到这一承诺不仅有利于全面推进我国妇女权益的保障工作,而且也已经赢得国际社会的普遍赞同,有必要在这次修改《妇女权益保障法》时将其以法律的形式固定下来。因此,修正案草案规定:“男女平等是国家的基本国策”(第二条)。

二、关于妇女合法权益的保障

鉴于目前在保障妇女权益方面出现的新情况和新问题,为了适应社会主义市场经济条件下维护和保障妇女合法权益的需要,修正案草案从几个方面完善了有关保障妇女权益的规定:

(一)在政治权利方面,修正案草案规定:制定法律或者法规、规章和公共政策,对涉及妇女权益的重大问题,应当听取妇女联合会等妇女组织的意见(第六条);国家采取措施,逐步提高全国人民代表大会和地方各级人民代表大会的代表中女性代表的比例。地方各级人民代表大会女性代表候选人的比例,由省、自治区、直辖市规定(第七条)。

(二)在文化教育权益方面,修正案草案规定:学校在录取学生时不得歧视女性(第十条);政府、社会、学校保证贫困、残疾和流动人口中的适龄女性未成年人完成义务教育(第十一条)。

(三)在劳动和社会保障权益方面,修正案草案规定:在签订或者解除劳动(聘用)合同或者有关服务协议时对处于怀孕、生育等特殊时期的女职工给予特殊保护(第十六条、第十九条);国家逐步建立健全与生育相关的社会保险等制度(第二十一条)。

(四)在财产权益方面,修正案草案规定:妇女在农村土地承包经营、集体经济组织收益分配、土地征收或者征用补偿费使用以及宅基地使用等方面,与男子享有平等权利(第二十二条)。

(五)在人身权利方面,修正案草案规定:禁止利用技术手段进行非医学需要的胎儿性别鉴定或者进行非医学需要的选择性别的人工终止妊娠(第二十四条);禁止阻碍解救被拐卖、绑架的妇女(第二十五条);禁止组织、强迫、引诱、利用妇女进行淫秽表演等有伤风化的活动(第二十七条);禁止在大众传播媒介中贬低损害妇女人格(第二十八条)。

(六)在婚姻家庭权益方面,修正案草案规定:禁止对妇女实施家庭暴力(第三十条);国家实行婚前保健、孕产期保健制度,发展母婴保健事业(第三十三条)。

(七)在保障措施方面,修正案草案规定:有关部门和妇女组织为受害妇女提供法律援助、司法救助、诉讼指导(第三十四条、第三十五条、第三十六条)。

此外,为了加强妇女权益保障工作,修正案草案还进一步明确了县级以上人民政府负责妇女儿童工作的机构和妇女联合会的职能和作用(第四条、第五条),以及县级以上妇女联合会依法接受政府的委托,承担有关保障妇女权益的工作(第五条)。

三、关于法律责任

为了切实使保障妇女权益的各项措施得以顺利实施,修正案草案对下列严重损害妇女合法权益的行为,规定了相应的法律责任:

一是，对侵害妇女权益的申诉、控告、检举，推诿、拖延、压制不予查处的，或者对提出申诉、控告、检举的人进行打击报复的行为，规定由其所在单位、主管部门或者上级机关责令改正，并依法给予行政处分（第三十七条）。

二是，对侵害妇女劳动和社会保障权益的行为，规定由劳动保障行政部门、人事部门责令改正，情节严重的，依法给予行政处罚；直接责任人员属于国家工作人员的，由其所在单位或者上级机关依法给予行政处分（第三十八条）。

三是，对侵害妇女在农村集体经济组织中的各项财产权益的行为，规定由乡（镇）人民政府依法调解；受害人也可以依法向农村土地承包仲裁机构申请仲裁，或者向人民法院起诉（第三十九条）。

四是，对利用技术手段进行非医学需要的胎儿性别鉴定或者进行非医学需要的选择性别的人工终止妊娠的行为，规定由卫生主管部门或者计划生育主管部门依法给予行政处罚（第四十条）。

五是，对妇女实施性骚扰或者家庭暴力的行为，规定由公安机关对违法行为人依法予以治安管理处罚（第四十一条）。

六是，对妇女进行猥亵活动，或者组织、强迫、引诱、利用妇女进行淫秽表演等有伤风化的活动，或者在大众传播媒介中贬低损害妇女人格的行为，规定由公安、文化、广播电影电视、工商行政管理等有关行政部门责令改正，并依法给予治安管理处罚或者行政处罚（第四十二条）。

此外，鉴于《妇女权益保障法》涉及到妇女的政治权利、文化教育权益、劳动和社会保障权益、财产权益、人身权利、婚姻家庭权益等多方面的合法权益，为了与其他法律、行政法规的规定相衔接，修正案草案规定：违反本法规定，侵害妇女的合法权益，其他法律、行政法规已规定行政处罚的，从其规定；造成财产损失或者其他损害的，依法承担民事责任；构成犯罪的，依法追究刑事责任（第四十三条）。

《中华人民共和国妇女权益保障法修正案（草案）》和以上说明是否妥当，请审议。

全国人大法律委员会关于《中华人民共和国妇女权益保障法修正案(草案)》审议结果的报告

全国人民代表大会常务委员会：

常委会第十六次会议对妇女权益保障法修正案(草案)进行了初步审议。会后,法制工作委员会将草案印发中央有关部门、各地方及一些研究机构征求意见。法律委员会、内务司法委员会和法制工作委员会还联合召开座谈会,听取中央有关部门和部分专家的意见。此外,法律委员会、法制工作委员会还赴广东、辽宁两省进行调研,进一步听取地方人大常委会和妇联组织的意见。法律委员会于8月11日召开会议,根据常委会组成人员的审议意见和各方面的意见,对草案进行了逐条审议。全国人大内司委、国务院法制办的有关同志和全国妇联有关负责同志列席了会议。8月17日,法律委员会召开会议,再次进行了审议。法律委员会认为,为了进一步保障妇女的合法权益,促进男女平等,充分发挥妇女在社会主义现代化建设中的作用,对妇女权益保障法进行修改是十分必要的;同时,提出以下修改意见：

一、修正案草案第二条第一款中规定："男女平等是国家的基本国策。"对此,有两种不同意见：

一种意见认为,宪法已将男女平等确定为一项重要原则,比"基本国策"的权威性更高,本法是否再将其规定为"基本国策"值得研究。

另一种意见认为,把男女平等作为一项基本国策是我国政府对国际社会作出的庄重宣示,受到国内广大群众的拥护,在本法中把这项“基本国策”肯定下来,有利于做好妇女权益保障工作。

法律委员会经同内务司法委员会、国务院法制办、全国妇联反复研究,建议维持草案的规定,并将这一条几款按照内在逻辑加以调整,修改为:“妇女在政治的、经济的、文化的、社会的和家庭的生活等各方面享有同男子平等的权利。”“实行男女平等是国家的基本国策。国家采取措施,逐步完善保障妇女权益的各项制度,消除对妇女一切形式的歧视。”“国家保护妇女依法享有的特殊权益。”“禁止歧视、虐待、遗弃、残害妇女”(修改决定草案第一条)

二、修正案草案第五条第二款规定“县级以上妇女联合会依法接受政府的委托,承担有关保障妇女权益的工作。”有些常委委员、地方和专家提出,妇联组织作为人民团体,其职责是协助和配合政府做好保障妇女权益的工作,不是直接行使行政权。法律委员会经同国务院法制办、全国妇联研究,建议删去这一款。

三、修正案草案第七条第一款规定:“国家采取措施,逐步提高全国人民代表大会和地方各级人民代表大会的代表中女性代表的比例。地方各级人民代表大会女性代表候选人的比例,由省、自治区、直辖市规定。”有些常委委员和地方提出,逐步提高各级人大代表中的妇女代表的比例,是必要的。但是,本法不宜规定省、自治区、直辖市规定地方各级人大代表候选人的比例,主要理由:一是,实践中地方人大每次换届选举时,中央对提高妇女代表的比例都有明确的指导性意见和要求,地方都是照此执行的。二是,人大代表选举制度是选举法规定的,如果本法要求地方规定妇女代表候选人比例,涉及选举法是否修改、如何修改的问题,还需要进一步研究。法律委员会经同全国妇联研究,建议删去这一款中“地方各级人大女性代表候选人的比例,由省、自治区、直辖市规定”一句,并将这一款修改为:“全国人民代表大会和地方各级人民代表大会的代表中,应当有适当数量的妇女代表。国家采取措施,逐步提高全国人民代表大会和地方各

级人民代表大会的妇女代表的比例。”（修改决定草案第六条第一款）

四、修正案草案第二十一条第一款规定：“国家逐步建立健全与生育相关的社会保险等制度。”有些常委委员、内务司法委员会、一些常委委员和地方提出，我国社会保险体系是包括生育保险的，本法对此应当作出明确规定。法律委员会经同内务司法委员会、国务院法制办、全国妇联研究，建议将这一款修改为：“国家推行生育保险制度，建立健全与生育相关的其他保障制度。”（修改决定草案第十七条第一款）

五、修正案草案第二十四条第三款规定：“禁止利用超声技术和其他技术手段进行非医学需要的胎儿性别鉴定或者进行非医学需要的选择性别的人工终止妊娠。”有些常委委员、地方和专家提出，母婴保健法、人口与计划生育法已经对此作出了规定，本法可以不作重复规定。法律委员会经同内务司法委员会、国务院法制办、全国妇联反复研究，建议删去这一款和相关法律责任的规定。

六、修正案草案第二十六条规定：“任何人不得对妇女进行性骚扰。”“用人单位应当采取措施防止工作场所的性骚扰。”有些常委委员、地方和专家提出，性骚扰的问题受到广泛关注，本法规定禁止性骚扰是必要的。同时，考虑到性骚扰是否限于工作场所，用人单位采取什么防范措施，情况都比较复杂，还需要进一步研究。本法需要规定的是受害人的救济渠道和实施性骚扰具体行为的法律责任。法律委员会经同内务司法委员会、国务院法制办、全国妇联研究，建议删去这一条的第二款，将这一条修改为：“禁止对妇女实施性骚扰。受害妇女有权向单位和有关机关投诉。”（修改决定草案第二十二条）同时，将修正案草案第四十一条修改为：“违反本法规定，对妇女实施性骚扰或者家庭暴力构成违反治安管理行为，受害人可以提请公安机关对违法行为人依法给予行政处罚。受害人也可以依法向人民法院提起民事诉讼。”（修改决定草案第三十六条）

此外，还对修正案草案作了一些文字修改。

法律委员会已按上述意见提出关于修改妇女权益保障法的决定

（草案），建议本次常委会会议审议通过。

修改决定草案和以上报告是否妥当，请审议。

全国人大法律委员会

2005年8月23日

全国人大法律委员会关于治安管理处罚法(草案三次审议稿)、公证法(草案三次审议稿)和关于修改妇女权益保障法的决定(草案)修改意见的报告(节选)

(2005年8月27日)

全国人民代表大会常务委员会:

本次常委会会议于8月23日下午和24日,分别对治安管理处罚法(草案三次审议稿)、公证法(草案三次审议稿)和关于修改妇女权益保障法的决定(草案)进行了分组审议。常委会组成人员普遍认为,这三个法律案经过常委会审议、修改,已经比较成熟,建议本次会议进一步修改后通过;同时,有些常委委员又提出了一些修改意见。法律委员会于8月24日下午、25日上午召开会议,根据常委会组成人员的审议意见,对三个法律案进行了审议。内务司法委员会、国务院法制办、公安部、司法部、全国妇联的负责同志分别列席了会议。法律委员会认为,三个法律案是可行的;同时,提出以下主要修改意见:

一、关于治安管理处罚法(略)

二、关于公证法(略)

三、关于修改妇女权益保障法的决定(草案)

（一）妇女权益保障法第十九条规定："各级人民政府和有关部门应当采取措施，组织妇女接受职业教育和技术培训。"有的常委委员提出，城镇妇女和农村妇女在接受职业教育方面有不同的需求，建议增加农村妇女接受实用技术培训的规定。法律委员会经同内务司法委员会、国务院法制办、全国妇联研究，建议在修改决定草案中增加一条规定，将妇女权益保障法第十九条修改为："各级人民政府和有关部门应当采取措施，根据城镇和农村妇女的需要，组织妇女接受职业教育和实用技术培训。"（建议表决稿第十一条）

（二）修改决定草案第二十七条规定："婚姻关系存续期间，男女双方约定所得财产归各自所有的，女方因抚育子女、照料老人、协助男方工作等承担较多义务的，有权在离婚时要求男方予以补偿。"有些常委会组成人员提出，按照上述规定，只有在事先约定财产归属的情况下，对承担家庭义务较多的妇女才给予补偿，这不利于对妇女权益的保障，建议删去"男女双方约定所得财产归各自所有的"一句。法律委员会经同内务司法委员会、国务院法制办、全国妇联研究认为，婚姻法第三十九条对夫妻共同财产在离婚时的分割问题，已经了照顾女方权益的原则。修改决定草案上述规定，是专对约定财产的情形，对妇女权益的特别保护，这同婚姻法第四十条的规定是一致的，如果删去"男女双方约定所得财产归各自所有的"限定，不仅会导致两部法律对同一问题规定得不一致，造成执法混乱，而且不利于对妇女权益的特别保护。因此，法律委员会建议将这一条的表述与婚姻法第四十条的规定相一致，修改为："夫妻书面约定婚姻关系存续期间所得的财产归各自所有，女方因抚育子女、照料老人、协助男方工作等承担较多义务的，有权在离婚时要求男方予以补偿。"（建议表决稿第二十八条）

（三）修改决定草案第三十八条删去了妇女权益保障法"附则"第五十三条关于授权国务院、地方人大常委会可以根据本法制定实施办法和民族自治地方可以依据本法的原则制定变通规定或者补充规定的规定。有的常委委员、全国人大代表提出，这一条不宜删去，应予保留。法律委员会经同内务司法委员会、国务院法制办、全国妇联研究，赞成保留这一条；同时，建议删去这一条第一款关于“国务院有关部门可以根据本法制定有关条例，报国务院批准施行”的规定，主要的考虑是：(1)根据立法法的规定，行政法规不再采取国务院有关部门制定报国务院批准的方式；(2)国务院根据本法，可以制定一个或者几个配套的行政法规或者规范性文件，不一定要制定一个实施办法；(3)国务院和国务院有关部门有权根据本法制定行政法规和规章，立法法对此已有明确规定。此外，根据宪法、民族区域自治法和立法法的规定，自治区对本法作出的变通规定或者补充规定(单行条例)应当报全国人大常委会批准后生效。据此，建议将这一条修改为：“省、自治区、直辖市人民代表大会常务委员会可以根据本法制定实施办法。”“民族自治地方的人民代表大会，可以依据本法规定的原则，结合当地民族妇女的具体情况，制定变通的或者补充的规定。自治区的规定，报全国人民代表大会常务委员会批准后生效；自治州、自治县的规定，报省、自治区、直辖市人民代表大会常务委员会后生效，并报全国人民代表大会常务委员会备案。”(建议表决稿第三十九条)

此外，还对三个法律案作了一些文字修改。

三个法律案的建议表决稿已按上述意见作了修改，法律委员会建议本次常委会会议通过。

三个法律案的建议表决稿和以上报告是否妥当，请审议。

我国性骚扰问题的现状

“性骚扰(Sexual Harassment)”这一概念最早于20世纪70年代在美国出现,到20世纪90年代开始逐渐被中国大众接触,在此之前,我国老百姓对此类行为一般称之为“猥亵、侮辱他人”或者“耍流氓”,将其归为道德和社会治安问题。我国社会学界、法学界早在20世纪90年代已有关注性骚扰的动向与讨论。2001年以来,相继有近十起性骚扰案件进入诉讼程序,有关性骚扰的话题也频频见于各种媒体。

一、性骚扰的概念

目前国际上对“性骚扰”还没有统一的定义,但对于职场性骚扰行为要素基本达成共识,一般包括三个方面:一是此行为必须带性色彩,以性为目的;二是此行为对承受方而言是不受欢迎的,是有损于其人格和尊严的;三是承受者对该行为的接受与否被明确地或含蓄地用来作为影响该人接受职业培训、得到雇佣、继续雇佣、晋升、工资或者其他雇佣决定的决策基础,或者这种行为可导致承受人在工作场所中产生一种胁迫、敌视、羞辱性的工作环境(欧盟将之称为“敌意性工作环境”)。现在国际上关于“性骚扰”的定义最具权威性的是欧洲议会1990年在议会决议中的一个定义,即“性骚扰是指不受欢迎的性行为,或其他以性为目的的行为,它损害了工作女性与男性的尊严,包括不受欢迎的身体接触、语言或非语言行为”。根据国际劳工组织对公司性骚扰规章制度的调查表明,判定性骚扰的标准是“此行为是否受欢迎”。这以承受者的感受为标准,而不以行为者的主观动机为标准,这一标准也就将性骚扰与普通的办公室调情区别开了。在国外,法院在判定性骚扰行为时,也是以此为标准。

我国现行法律未对性骚扰加以明确界定,但根据国内对性骚扰的研究和报道,我国对性骚扰一词的理解可以概括为广义和狭义两种。

广义的性骚扰主要指发生在工作场所、公共场所等区域中的针对他人的性暴力行为,根据严重程度可将分其为一级性骚扰和二级性骚扰。

一级性骚扰指性攻击行为,包括强奸、性虐待及任何造成身体伤害的暴力动作或异常行为。

二级性骚扰指下列三种类型的骚扰行为:第一,语言骚扰,包括各种带有性含义的性别歧视、性别偏见的言论以及侮辱、贬低、敌视异性的言论:第二,性挑逗,即一切不受欢迎、不合宜的带亵渎行为的性挑逗行为,包括掀衣服、触摸敏感部位、暴露性器官、展示色情图片等;第三,性胁迫,即以威胁或胁迫等违背他人意志的手段实施的强迫性性行为,如强吻、搂抱或强行猥亵行为。如果上述语言或行为情节较为严重,给承受方造成敌意性的环境或损害的,就构成了二级性骚扰,应该受到法律的制裁。狭义的性骚扰通常指二级性骚扰的行为。

二、我国性骚扰的情况

随着经济的发展,社会生活逐渐的多元化和复杂化,我国的性骚扰现象不断显现出来,已成为一个较为突出的社会问题。具体情况是:

第一,性骚扰现象普遍存在,不容忽视。中国社会科学院于1993—1994年在北京、上海等四个城市对169名女性关于性骚扰问题的访谈报告显示,有84%的人表示曾经遭受过不同形式的性骚扰,其中107人(占调查人数的63%)遭受过两次以上的性骚扰,有152人(占调查人数的90%)表示她们知道周围其他女性也受过性骚扰。

2003 年新浪网进行了一项网上调查,截止 2003 年 4 月 24 日,参加调查 8282 人中,肯定自己遭受过性骚扰的达到 59. 36% ,认为很难判定的为 14. 96% 。

第二,女性是性骚扰行为的主要侵害群体。2000 年 3 月《深圳周刊》、精确新闻调查中心、深圳大学法学院社会学系的《关于性骚扰的调查报告》显示,32% 的受访者表示曾遭受不同形式的性骚扰,其中女性受害者占女性总样本的 43% ,男性受害者占男性总样本的 18% 。

2003 年 7 月 9 日至 14 日,新浪网与《半月谈》杂志的一项联合网上调查中,参与者男性 5469 名,女性 2910 名。调查结果表明,表示从未受到过性骚扰者的,男性占男性参加者的 78% ,女性占女性参加者的 21% ,两者相差 57 个百分点;表示时常受到性骚扰者,在男性为 3% ,而在女性是 17% ,两者相差 14 个百分点;表示偶尔受到过性骚扰者,男性为 18% ,女性为 60% ,两者相差 42 个百分点。这个态势分布与国际上的一些同类调查的结果是相似的。

上述调查结果表明,女性比男性更经常地受到各种形式的性骚扰,是性骚扰行为的主要侵害群体。当然男性中的弱势群体也可能遭到性骚扰。

第三,私营企业、外商独资企业和中外合资企业等新兴经济类型企业是性骚扰的高发区域,其中管理规范化程度较低的企业更容易发生性骚扰。上述中国社会科学院的访谈报告显示,在新兴经济类型的单位中的女性有近 40% 人曾遭受性骚扰,而在传统经济部门如国有、集体企事业单位中不到 18% 。中国社会科学院 1995 年对珠江三角洲女工劳动保护状况的调查中,759 名接受调查的女工中,有 36. 8% 的人曾经受到不同形式的性骚扰。上述《深圳周刊》的调查报告中,对于最容易发生性骚扰的地方,被调查者中的 48. 5% 认为是私营企业,33% 认为外商独资、中外合资企业,7. 1% 认为是政府机关,2. 9% 认为是国有企事业单位。

同样在珠江三角洲,一些规模较大、有规范的生产和人事管理制度、有环境良好的工人生活区的、管理严格的新兴经济类型企业,较少有关于性骚扰的报告。

目前,有一个现象特别值得注意,一些大的跨国公司,在他们本国的公司管理守则中,几乎全部都有关于禁止性骚扰的规定,而且有非常详细的配套管理措施,但是这些公司在中国的分公司的管理守则里面却绝大部分都没有这方面的条款。这些公司的解释是:中国的劳动法里没有关于禁止性骚扰的规定,他们在中国的所有管理条例是在中国的法律框架之下制订的,不能超越法律。

第四,服务业是性骚扰高发的行业,其中又以娱乐业和个体、私营企业的问题更为突出。辽宁省妇联在2000年对餐饮娱乐服务业的一项调查显示,70%以上的服务业女性受到过不同形式的性骚扰。上述《深圳周刊》的调查报告也显示,76%的被调查者认为娱乐场所的服务员最容易遭到性骚扰。

第五,职场性骚扰是目前最突出的性骚扰问题。性骚扰的地点大多发生在工作场所,少部分在公共场合或者私人场合。职场性骚扰又多发生于上下级之间,建立在权力地位的不平等基础上。如,华坤女性调查中心关于性骚扰问题的报告显示调查结果表明,50%的性骚扰来自于工作场所,其中36%来自上级,14%来自于同事。根据北京红枫妇女心理咨询服务中心(原中国管理科学研究院妇女研究所)统计,在妇女热线的求助者中,性骚扰主要发生在工作场所,50%以上来自上司,另外就是熟人、长辈。1996年,全总对全国十五个省市1847家企业进行的调查表明,性骚扰是女职工劳动保护中遇到的主要问题之一。

妇联组织接到的绝大部分性骚扰投诉都在工作场所发生,例如全国妇联信访处2004年接到的山西某集团公司女工余某的来信比较具有代表性:余某反映,在两次严厉拒绝公司车队队长的性要求后,遭到刁难和报复,不仅继续被对方以黄色语言骚扰,还在单位散布流言蜚语,尚未成家的余某在巨大心理压力下生病、自杀未遂,又被假造旷工情况,强迫调动,最后被解除了劳动合同,目前衣食无着,靠最低社会保障金和年过七旬的母亲接济。

三、性骚扰的危害

性骚扰所造成的危害是很严重的，主要表现在：

第一，精神上的压力。性骚扰会使受害者产生情绪上的动荡和沉重的心理压力，表现出害怕、烦躁、困惑、自信心和自尊心下降。

第二，身体上的损害。由于性骚扰的受害者主要是年轻的女性，突如其来的性侵害带来许多不适应的生理反应，如浑身无力，失眠、头痛、恶心等。

第三，交往能力的丧失。受害者会对异性甚至对社会产生不信任感和排斥感。

第四，经济上的损失。很多性骚扰是以升学、就业、提职、涨薪等进行胁迫，这些来自上司和操纵利益人士的骚扰往往使受害者难以应对，有的不得不辞退工作，离开所在岗位，从而造成经济上的损失。

第五，给婚姻家庭造成的损失。已婚的受害者遭受性骚扰得不到家人的理解，影响婚姻家庭关系；未婚的遭受到性骚扰后也常常因此受到舆论谴责，名誉受损，从而影响他们以后的恋爱和婚姻。

第六，少年儿童没有相关知识和自我保护能力，一旦成为受害者，会严重影响他们的身心健康，给其以后的成长和生活烙下阴影。

四、实践中关于性骚扰问题案件的处理

实践中，公安机关很难及时介入性骚扰案件，或者介入后也很难做出适当的处理。通过诉讼途径得到解决的性骚扰问题更是微乎其微，2001 年第一起性骚扰案件进入司法诉讼程序以来，至今还不足十起，且绝大多数以被侵害者败诉而告终。造成上述问题的原因主要有：1. 我国关于性骚扰问题缺乏明确的、有可操作性的法律依据。2. 性骚扰多数情况下具有隐蔽性、突发性，缺乏实物证据，取证困难。3. 受传统观念影响，多数受害人不愿意公开这部分隐私。

也由于缺乏相应的法律依据，司法实践中对性骚扰案件的审判出现了较混乱的局面。

2001年6月，西安市一位国有企业女职员向西安市莲湖区法院提出起诉，指控她的上司总经理对她进行了性骚扰，侵犯了她的人身权利，要求总经理对她赔礼道歉。6个月后，法院以“证据不足”为由驳回原告的起诉。这是我国第一起进入法律程序的性骚扰案件。2003年6月，湖北省武汉市女教师何颖志状告上司盛平性骚扰案，何颖志一审、二审均胜诉，但二审法院虽认定了性骚扰侵害事实，却认为盛某的行为并未对何某造成严重危害后果，撤销一审盛某向何某赔偿精神损失费的判决。2003年北京雷曼以维护名誉权为由指控焦某对其实施性骚扰，法院认为原告雷曼提交的证据不能证明焦某对其实施了性骚扰，驳回了雷曼的起诉。

从这三例诉讼中来看，法院裁决的法律依据都是民法通则第一百零一条的规定，即公民享有名誉权，公民的人格尊严受法律保护，禁止用侮辱、诽谤等方式损害公民的名誉。而人格权、名誉权这两个法律概念是非常含糊而宽泛的。

三个较典型的案例中，受害人有的失去了工作，有的被在判决书中变相宣告为精神状态不正常，有的在承受了巨大的精神压力和人格尊严的损害后仅获得了口头道歉。缺乏明确、适当的法律保护给受害者维权造成了严重阻碍。

我国有关性骚扰问题的立法现状及对策

一、我国现行法律对性骚扰问题的相关规定

我国到目前为止还没有关于性骚扰问题的专门立法，也没有明确出现“性骚扰”字样的法律规范。但是这并不等于我国没有反对性骚扰的相关法律规定。我国现行的与性骚扰问题有关的法律规定主要有：

1. 宪法第三十三条规定，公民在法律面前一律平等，国家尊重和保障人权。第三十八条规定，公民的人格尊严不受侵犯，禁止用任何方法对公民进行侮辱、诽谤和诬告陷害。第四十八条规定，妇女在政治的、经济的、文化的、社会的和家庭的生活等各方面享有同男子平等的权利。

2. 刑法规定了强奸罪、强制猥亵或侮辱妇女罪和猥亵儿童罪。

3. 治安管理处罚条例第十九条规定，侮辱妇女或者进行其他流氓活动扰乱公共秩序，尚不够刑事处罚的，予以治安管理处罚。

4. 民法通则第一百零一条规定，公民享有名誉权，公民的人格尊严受法律保护，禁止用侮辱、诽谤等方式损害公民的名誉。

5. 妇女权益保障法第二条规定，禁止歧视、虐待、残害妇女。第二十四条规定，在晋职、晋级、评定专业技术职务等方面，应当坚持男女平等的原则，不得歧视妇女。第三十九条规定，妇女的名誉权和人格尊严受法律保护。禁止用侮辱、诽谤、宣扬隐私等方式损害妇女的

名誉和人格。

6. 劳动法第十二条规定,劳动者就业不因性别不同而受歧视。

上述法律规定,从不同的立法层面明确了反对性骚扰的法律原则。

二、对我国现行的与性骚扰有关的法律规定的分析

对上述法律规定进行分析,可以得出以下结论:

第一,在我国,性骚扰还不是一个明确的法律概念,现行法律没有关于性骚扰问题的具体规定。

第二,性骚扰在世界范围内已经被界定为是性别歧视。我国宪法、妇女权益保障法和劳动法中,可以找到与反对性别歧视有关的一些规定,但这些规定更多地带有宣告的色彩,缺乏实施机制。

第三,刑法规定的强奸罪、强制猥亵或侮辱妇女罪和猥亵儿童罪是三种最严重的性骚扰形式,这对大量存在的一般的性骚扰形式并不适用。而治安管理处罚条例对于"侮辱妇女或者进行其他流氓活动"的处理,又偏向于公共场合,对隐蔽环境中的性骚扰缺乏有效的惩处,对性骚扰的程度及应给予的制裁也缺乏明确的规定。对不构成犯罪又不够行政处罚的性骚扰行为没有规定法律责任和救济方式。

第四,从我国目前进入诉讼程序的近十个性骚扰案件看,法院裁决的法律依据主要是民法通则第一百零一条关于公民名誉权和人格尊严的规定,宪法和妇女权益保障法对这一问题也有类似规定。但是名誉权、人格权这两个法律概念是非常含糊而宽泛的,法律的规定又很原则,没有具体的认定标准,操作性差。

第五,这些规定体现了我国法律保护妇女、儿童不受性骚扰的精神,但从我国性骚扰问题的现状来看,这样的法律保护是远远不够的。许多受害者在遇到性骚扰这类问题时无能为力。缺乏明确、适当的法律保护给被侵害者维权造成了严重障碍,近几年的性骚扰诉讼绝大多数以被侵害者败诉告终。法院、公安等有关机关在处理此

类案件时仍处于无法可依的境地。

三、我国防治性骚扰的法律对策

我国加入的联合国《消除对妇女暴力行为宣言》要求缔约国运用法律等一切措施消除包括性骚扰在内的对妇女的暴力。世界上很多国家都已经对性骚扰问题进行了立法，尤其是在劳动场所防止性骚扰方面，国际社会已经有了比较成熟的立法经验可以借鉴。鉴于我国目前进行专门的性骚扰立法的时机尚不成熟，结合我国现行立法状况，有关法律专家建议可以从以下几个方面来进行立法：

（一）在妇女权益保障法中增设禁止性骚扰的条款

女性是性骚扰的主要受害者，因此，作为保障妇女权益的基本法理应对这个问题有所规定：

第一，在妇女权益保障法中正确界定性骚扰的法律概念，明确其分类和行为构成要素，把性骚扰限定为有比较成熟立法经验的职场性骚扰。这一方面是由于该种类型的性骚扰是在世界范围内有较成熟的立法经验可以借鉴；另一方面，该类型的性骚扰也是我国性骚扰案件中最严重、最普遍的。对该类型的性骚扰在妇女权益保障法中予以立法打击，既可以扭转在社会转型期女性作为群体所面临的工作权利和人格尊严受侵害的不利局面，也可以为今后的其他类型的反性骚扰立法积累经验。

第二，明确规定，禁止以任何形式的不受欢迎的具有性侵害成分的言语或身体的举动对妇女进行性骚扰。

第三，明确保障妇女反抗性骚扰、性侵犯等性暴力的权利，赋予妇联等一些妇女组织运用法律手段监督社区环境中的性骚扰行为、帮助妇女摆脱性骚扰的压力等职责。

第四，上述法律规定要与劳动法、民法和刑法的相关规定相配套。当妇女有合理依据相信她的拒绝会导致在录用、晋级和获得职业培训过程中的不利后果，或会产生敌意的工作环境时，就构成性骚扰，国家应当向其提供有效的控告程序和救济措施。

（二）完善劳动法的有关规定

在劳动法中完善有关两性平等就业的有关规定，同时增加禁止性骚扰的规定，确立明确的雇主责任和企业内部的反性骚扰制度。

美国和欧盟的很多国家都规定雇主有预防、调查和制止性骚扰的责任，并在一定条件下对事件带来的损失承担责任。国外实践表明，雇主责任使性骚扰的庭外解决更加容易，这也符合中国传统文化的特点。

1. 雇主必须在企业内部建立切实可行的反性骚扰的制度，这些制度包括：明确解释哪些行为构成被禁止的性骚扰行为，建立有效的举报途径及举报程序；规定有相应的反报复措施，保证举报的员工不会受到报复；要建立及时高效的调查程序，接到举报后要首先确定是否有性骚扰事实存在。一旦确认性骚扰存在，必须给予骚扰者严厉的企业内部处理直至开除。

2. 雇主有义务为雇员提供不受骚扰的正常工作环境。性骚扰主要有两种类型，一是交换性性骚扰，指一方以答应提供或者停止提供特定的雇佣好处为条件强迫被害人提供性爱回报；在此情况下，性骚扰者往往处于管理者的地位，利用职权迫使对方就范。二是敌意环境性骚扰，指不合理干涉被害人的工作业绩的行为，或者使被害人处于一种被胁迫、被人敌视或者粗暴无礼的令其反感、不安的工作环境。在交换性性骚扰的情况下，雇主承担严格责任。在敌意环境性骚扰的情况下，雇主可以就是否已为雇员提供不受骚扰的正常工作环境进行合理辩护，承担相应的过错赔偿责任。

（三）在民法典中增加贞操权的有关规定

所谓贞操是指男女性纯洁的良好品行。贞操权是指公民保持其性纯洁良好品行，享有所体现的人格利益的人格权。它是一种以性为特定内容的独立的人格权，以人的贞操为客体，以人的性所体现的利益为具体内容，其主体是所有公民（自然人）。

肯定性骚扰行为是一种侵犯贞操权的行为，对于侵权者来说只要构成侵权就应该承担相应的民事责任，如赔偿精神损失、物质损失、赔礼道歉等。这样的规定可以解决实践中轻微的性骚扰行为没有法律责任的问题，有利于保护自然人的合法权益。同时还能够激发受性骚扰侵害的人（尤其是女性）用法律维护自己的权利，与不法行为作斗争。此外，这一规定为受强奸等性骚扰犯罪侵犯的被害人提起民事诉讼，要求精神损害赔偿提供了直接的法律依据。

（四）设立有利于受害者的司法救济程序和证据制度

性骚扰案件中取证难是一个突出的问题。这主要是因为性骚扰大多发生在比较隐蔽的场所，多数只有两个人在场。因此除非性骚扰发生在大庭广众之下，受害人很难举出更多的证据。而且性骚扰造成的更多的是精神损害，这种举证无法通过传统的取证方式进行证明。

因此可以考虑在性骚扰民事诉讼中适当降低此类案件的证明标准，可参考国外通行的“优势证据”标准确立，即只要受害方所举的证据被认定为优势证据即可胜诉。2002 年，最高人民法院《关于民事诉讼证据的若干规定》第七十三条规定，“双方当事人对同一事实分别举出相反的证据，但都没有足够的依据否定对方证据的，人民法院应当结合案件情况，判断一方提供证据的证明力是否明显大于另一方提供证据的证明力，并对证明力较大的证据予以确认。”

这一司法解释还改变了过去私自录音不能作为证据使用的局面，为性骚扰受害者的举证提供了比较有利的条件。在此基础上，对于举证我们还可以做更多的尝试，以便更好地保护性骚扰受害者的权益。

一些法律专家认为，不是所有的性骚扰都能够通过法律途径解决，在中国现阶段的立法过程中，如何正确地界定性骚扰的法律概念？如何把握性骚扰的法律要素？如何证明性骚扰的存在？如何确定赔偿责任？以上问题是中国现阶段反性骚扰立法的关键。

我国当前有关家庭暴力问题的情况

目前,家庭暴力已经成为婚姻家庭领域一个亟待解决的问题。从总的情况看,一方面我国当前的家庭暴力问题形势比较严峻;另一方面,有关部门反对家庭暴力的执法力度不断提高,多部门、多方面合作的社会反家庭暴力网络已经初步形成。现根据全国妇联提供的有关家庭暴力问题的情况,整理简报如下:

一、家庭暴力问题形势严峻

(一)家庭暴力的投诉量呈较高的增长态势

近年来,全国31个省、自治区、直辖市妇联每年要接待和处理30余万件的群众来信来访,其中一半以上是婚姻家庭类问题,而家庭暴力是主要问题之一,投诉数量和所占比例均连年上升:2003年,妇联系统受理的婚姻家庭类问题为194,476件次,其中家庭暴力问题46,114件次,占23.7%,比2000年(24,029件次)增加了22,085件次,数量将近翻了一番,在婚姻家庭类问题中所占的比例上升了8.2%。2002年,全国维护妇女儿童权益协调组牵头开展的妇女权益保障法颁布十周年实施情况的抽样调查结果显示,在被调查的与实施妇女权益保障法相关的机构负责人中,近1/3的人将妇女遭受家庭暴力列为所在地区妇女权益受侵害现象的第一位;而在被调查的社会公众中,16%的女性承认被自己的配偶动手打过,有14.4%的男性承认打过自己的配偶。

(二)家庭暴力案件的施暴情节日趋严重

在妇联系统近年来接到的家庭暴力投诉中,致伤致残、致死案件增多,暴力的恶劣程度上升,2003年接到的由于家庭暴力致死的案件投诉为263件,比2002年上升了50.3%。与此同时,精神伤害在家庭暴力的投诉中也有逐渐上升的趋势。随着近年来反家庭暴力的宣传,丈夫明目张胆地殴打妻子常会受到群众的指责,因此,一些丈夫便采用了精神伤害这种更加隐蔽的手段对付妻子,如污辱、冷落、言语刺激等。

(三)家庭暴力导致了多种不良社会后果

在我国,家庭暴力已经成为离婚率上升的主要原因之一,它破坏了家庭和睦,影响了子女的健康成长,对妇女儿童的人身和精神造成伤害。研究表明,在存在家庭暴力的家庭中长大的男孩,成年后对女性施暴的可能性比其他人要大,也更容易犯罪。严重的家庭暴力还会导致女性受害者以暴抗暴,以犯罪手段进行报复,成为社会不稳定因素。江苏省妇联对南通女子监狱的调查表明,在513名女性罪犯中,237个家庭存在家庭暴力,占46.2%,而这237个存在家庭暴力的家庭中,有125人的犯罪直接与家庭暴力有关,因不堪忍受家庭暴力杀人的女犯,最小的为25岁,最大的为58岁。

值得注意的是,从全国的总体情况看,家庭暴力问题在全国不同地区、不同程度地存在着,与受教育程度、经济是否发达没有必然联系。如山东省济南市"148"妇女法律服务专线自2000年1月开通后接到的1400多件反映家庭暴力问题的咨询中,被投诉的打人者约有20%受过高等教育。广东省属于我国经济较发达的省份,但广东省妇联1999年对11个市的2500个家庭进行的调查显示,有29.2%的家庭存在家庭暴力,其中79.4%属于丈夫对妻子施暴。

二、有关部门反对家庭暴力的执法力度不断提高,多部门、多方面合作的社会反家庭暴力网络初步形成

近年来,家庭暴力问题日益得到社会的普遍关注。一些地方先

后颁布了预防和制止家庭暴力的地方性法规，辽宁、浙江、陕西等地还在“110”报警报务网络中增加家庭暴力投诉的内容，建立了覆盖全省的家庭暴力报警服务点，加大执法力度，为及时制止和处理家庭暴力事件发挥了关键性的作用。一些地方的法院、妇联合作建立了反对家庭暴力投诉站。多数地方的妇联组织开通了家庭暴力热线，有的还提供网上投诉和社区警报服务，及时协调有关部门保护受害妇女的合法权益。

在家庭暴力的社会干预手段上，全国已有21个省份建立了家庭暴力伤情鉴定中心，有13个省份建立了妇女儿童庇护中心，为受家庭暴力侵害的妇女暂时解决无处可去的困难，保护她们不再受到伤害。有的庇护中心还为妇女开展普法宣传、心理疏导和技能培训，帮助她们自立自强，重新生活。2003年，面向流浪乞讨人员的救助站建立之后，一些地方的民政部门正在尝试将庇护中心对受害妇女儿童的保护功能纳入救助站的职责范围，将救助站作为受害妇女儿童的庇护场所。

三、存在的问题

在反对家庭暴力的问题上，我国现行的法律对政府的责任主体地位没有明确规定，公安、民政等相关职能部门存在职责不清、任务不明的情况。发生侵害行为之后，管不管、怎么管，全靠执法人员和相关工作人员的认识和良知，没有预防、制止家庭暴力的长效机制。妇联组织在对致残、致死等严重家庭暴力个案进行分析时发现，绝大多数受害人在受侵害的初期都曾经向当地公安机关或其他有关部门求助，却以“没有职责要求我们管”或者“家务事自己处理”为由拒绝干预，于是暴力行为不断升级，最终酿成悲剧。因此，妇联组织建议在妇女权益保障法中加入反对家庭暴力的内容，对相关部门的职责作出明确规定，更有效地保护广大妇女的人身权利。

（根据全国妇联提供的材料整理）

我国法律和地方性法规有关家庭暴力问题的规定

家庭暴力是对公民人身权利和基本尊严的侵犯,它严重损害受害者的身心健康,破坏家庭和睦,影响社会安定。妇女作为社会和家庭中的弱势群体,成为了家庭暴力行为的主要受害者。我国在2001年修改婚姻法时,增加了针对家庭暴力问题的专门条款,以此为基础,各地方陆续出台了一些地方性法规,对预防和制止家庭暴力问题作出专门性的规定。这些规定,对预防和制止家庭暴力行为起到了积极作用。现将有关法律、地方性法规关于家庭暴力问题的规定简介如下:

一、法律

现行法律中,婚姻法对家庭暴力问题作出了专门性的规定。该法第三条第二款规定,“禁止家庭暴力。”第四十三条规定:“实施家庭暴力或虐待家庭成员,受害人有权提出请求,居民委员会、村民委员会以及所在单位应当予以劝阻、调解。”“对正在实施的家庭暴力,受害人有权提出请求,居民委员会、村民委员会应当予以劝阻;公安机关应当予以制止。”“实施家庭暴力或虐待家庭成员,受害人提出请求的,公安机关应当依照治安管理处罚的法律规定予以行政处罚。”第四十五条规定,对实施家庭暴力构成犯罪的,依法追究刑事责任。受害人可以依照刑事诉讼法的有关规定,向人民法院自诉;公安机关应当依法侦查,人民检察院应当依法提起公诉。第四十六条规定,实施家庭暴力导致离婚的,无过错方有权请求损害赔偿。

上述规定,从法律层面原则上明确了:第一,禁止家庭暴力的法律原则;第二,对家庭暴力受害者的救助措施;第三,人民法院、人民检察院、公安部门、城乡基层群众性自治组织和有关单位在反家庭暴力方面的职责;第四,家庭暴力行为应承担的法律责任。但对家庭暴力行为的概念,婚姻法没有作出界定。

现行的妇女权益保障法对家庭暴力问题没有专门的规定,但其确定的一些法律原则,如“禁止歧视、虐待、残害妇女”,“禁止用迷信、暴力手段残害妇女”等也体现了反家庭暴力的法律原则。

二、地方性法规

我国的地方立法在预防和制止家庭暴力方面取得了很大的成果,截止2004年12月,全国已有湖南、四川、宁夏、陕西、黑龙江、湖北、山西、安徽、山东、河北等11个省份制定了预防和制止家庭暴力的专门性法规。综合这些法规的情况看,在法规的体例、内容等方面,各地方的规定大体相同,主要围绕以下内容作出了规定:

第一,有的地方明确了家庭暴力行为的概念。所谓家庭暴力,是指行为人以殴打、捆绑、残害、强行限制人身自由或者其他手段,给其家庭成员的身体、精神等方面造成伤害的行为。

第二,明确了预防和制止家庭暴力,应当实行综合治理。地方各级人民政府及其有关部门、人民法院、人民检察院、妇联组织、工会、共青团、城乡基层群众性自治组织以及家庭成员所在单位等各有关方面应当按照自己的职责,做好预防和制止家庭暴力工作。

第三,明确了预防和制止家庭暴力行为的具体措施,包括:

1. 家庭暴力的受害人有权亲自或委托他人向社区居民委员会、村民委员会以及其所在单位请求保护,也可以向公安机关报案。

2. 公安派出所、司法所、妇联组织、社区居民委员会、村民委员会、家庭成员所在单位应当密切配合,及时调解家庭纠纷,防止矛盾激化,预防家庭暴力行为的发生。

3. 对正在实施家庭暴力行为的,家庭暴力当事人所在单位、社区居民委员会、村民委员会发现后应当及时予以劝阻,对事态严重、劝阻无效的,应当及时报警。

4. 公安机关对正在实施的家庭暴力的报警和求助,应当立即出警,提供及时有效的救助,做好笔录及调查取证;对涉嫌构成犯罪的案件,依法立案侦查。

5. 人民检察院对家庭暴力犯罪案件,应当依法提起公诉。人民法院对家庭暴力案件应当依法及时审理。

6. 经家庭暴力受害人的请求,社区居民委员会、村民委员会应当为其提供遭受家庭暴力的有关证明。

7. 司法鉴定机构对家庭暴力受害人请求为其所受伤害进行司法鉴定的,应当及时受理,并依法出具鉴定结论;对经济困难无力支付鉴定费用的受害人,应当酌情予以减免。

8. 医疗卫生机构对家庭暴力受害人应当给予治疗,做好诊疗记录,并告知受害人保存相关证据。

9. 法律援助机构和人民法院应当为符合条件的家庭暴力受害人提供法律援助和司法救助。

10. 地方各级人民政府根据实际情况应当指定或者建立救助场所,为家庭暴力受害人提供临时紧急救助。

第四,明确了有关法律责任,包括:

1. 对实施家庭暴力者违反治安管理法律法规的,经受害人提出请求,由公安机关依法给予行政处罚;构成犯罪的,依法追究刑事责任。

2. 对在预防和制止家庭暴力方面负有责任的单位及其工作人员失职、渎职的,给予批评教育或者行政处分。

从上述规定看,地方性法规在婚姻法规定的基础上,增加规定了对家庭暴力受害者在证据收集、法律援助、司法救助、临时紧急救助等方面的救助措施,并且更加明确了有关部门、单位在预防和制止家庭暴力方面的职责和法律责任,从而为职能部门处理家庭暴力案件提供了法律依据,对促进社会各界对家庭暴力问题的认识,提高行政、司法机关打击家庭暴力行为的责任感,保护妇女儿童等弱势群体的合法权益起到了重要作用。

我国妇女权益保障工作面临的主要问题

自1992年《中华人民共和国妇女权益保障法》实施以来，妇女权益保障工作取得了很大成绩，但仍然面临不少问题，主要体现在以下几个方面：

一、政治权利方面

新中国成立后，中国妇女的参政水平实现了跨越式的发展进步，成为世界上妇女参政程度较高的国家之一。但目前，妇女在参与国家和社会事务管理方面还存在很多障碍，男强女弱的现象明显存在。主要体现在：从20世纪80年代以来，中国各级人大女代表比例增长缓慢，在有些地区和领域甚至有所下降。从全国人大来看，从1978年第五届全国人大到1993年第八届全国人大，女代表的比例一直徘徊在20%—21%之间，直到1998年才增加到21.8%。在2003年召开的第十届全国人大上，女代表比例又下降到20.2%，比上届降低了1.57%。全国人大各专门委员会中的女性比例近年有所上升，从九届人大的13.6%上升到十届人大的14.9%，但这一比例仍然相对偏低，而且女性多集中在环保、内务司法和民族事务等委员会中，在农村和法律委员会中所占比例相对更少。全国人大女常委委员比例在1975年达到新中国成立以来的最高值25.1%，80年代以后长期在14%以下徘徊，目前我国的全国人大女常委委员比例在13%左右，反映了妇女在全国人大高层决策中的代表性还不足。

从全国人大各地方代表团中的女性比例来看，各地存在发展不平衡的状况。十届全国人大只有台湾地区和北京市代表团中的女代表达到30%以上,其他30个省(自治区、直辖市)代表团都在30%以下,最低的吉林省仅为11.94%。而且,23个省(自治区、直辖市)代表团中的女性代表比例出现不同程度的下降。其中,北京市十届全国人大女代表虽然保持在30%以上,但比上届下降了约5个百分点。

从地方各级人大女代表的比例数据看,情况也不容乐观。在地市及县乡各级,一些地方报告中显示了女代表比例下降的趋势:如山东省17个市中有9个市和部分县的人大女代表比例近年来有不同程度的下降;山西省一些县、乡人大女代表比例目前仍不足10%。另一方面,地方各级人大女代表的比例也呈现了级别越高、女人大代表比例越低的趋势。比如,1998年宁夏回族自治区县及县以上妇女人大代表占人大代表总数的19%,其中,县人大妇女代表占同级代表总数的19.7%,市人大妇女代表占同级代表总数的17.8%,省级人大妇女代表占省级人大代表总数的16.8%。

领导岗位女干部比例偏低,2002年,女性领导干部在省部级以上、地厅级和县处级分别占8.3%、11.7%和16.1%。

基层群众自治组织中女性成员明显下降,虽经各级政府和有关部门共同努力,2003年年底全国村委会成员中女性仍不足20%,村委会主任中女性比例只有1%。

二、文化教育权益方面

近年来,由于两个纲要的实施,我国女性受教育水平不断提高,两性受教育差距逐渐缩小,各级各类学校在校女生所占比例有了明显提高。但是,我国妇女受教育程度仍低于男性,妇女的文化素质总体上不适应时代的要求。据第二期中国妇女社会地位抽样调查显示,2000年女性平均上学年数为6.1年,比男性少1.5年。目前,这一领域比较突出的问题是学校在招生录取过程中还存在歧视女生的现象,贫困和流动人口中的女童由于交不起学费或赞助费不能完成国家规定的义务教育,妇女在接受继续教育方面还存在较多障碍。

三、劳动和社会保障权益方面

劳动和社会保障权益是当前妇女权益保障面临的突出问题。主要表现在以下几个方面：

（一）妇女由于性别原因在劳动力市场受到歧视的现象十分突出。一些用人单位招工中用男不用女，用小（年龄）不用大，招工时用青春期，签订劳动合同时避开孕期、产期、哺乳期等。在黑龙江省和哈尔滨市人才市场的几次招聘会上，某些企业招聘女工时，竟提出了5—10年内不得怀孕的条件。据全国妇联的抽样调查，在城镇地区，“因为性别就业受到歧视”的女性占被访者的7.1%，而男性中有此经历的为3.3%，女性比男性高3.8个百分点。显示出由于性别的不同，女性比男性在就业中遭遇了更多的不平等待遇。

（二）妇女享受社会保障和职工福利的程度总体上低于男性。据全国妇联调查，在社会保障中，公费医疗或医疗保险，退休金或养老保险的普及率较高，达到75.4%。而失业保险、生育保险、住房补贴以及其他职工福利的普及率低于50%，其中，又以法定假期以外的带薪休假和生育保险的普及率最低。而妇女享受公费医疗或医疗保险的为62.2%，享受退休金或养老保险的为74.4%，享受失业保险的为43.0%，享受工伤保险的为39.2%，享受住房补贴的为43.3%，享受法定假期以外的带薪休假的为29.4%，分别比男性低9.2至2.1个百分点。享受生育保险的妇女仅为35.5%，能够享受产假工资的女性为69.6%。

究其原因，主要是目前我国公民享受的社会保障、职工福利程度与其工作单位的性质密切相关。个体、私营和集体所有制的单位为员工提供的社会保障及职工福利最低。而女性更多地集中在集体所有制、个体所有制单位，从事工作技能含量较低的职业，其所享受的社会保障、职工福利明显低于男性。

（三）法律规定的针对女职工的特殊劳动保护落实不到位现象非常严重。女职工特殊劳动保护是针对女职工生理特点和抚育后代的需要，用人单位必须对女职工在劳动过程中的安全和健康依法加以特殊保护。全国妇联的调查显示，有78.5%的妇女在经期没有受到特殊保护；40.1%的妇女在孕期没有受到特殊保护；25.6%的妇女在哺乳期没有受到特殊保护。据河北省对96家企业的调查，无孕期、产期、哺乳期女工的企业占到79.2%。一些企业存在女职工怀孕七个月以上仍上夜班等现象。非公有制企业大多不承担女职工孕期保护，对孕、产、哺乳期女工随意单方终止合同，女工怀孕后离开企业，不享受任何待遇。

（四）生育保险推进缓慢。我国生育保险制度起步最早，1994年劳动部出台了《企业职工生育保险试行办法》，截至2004年底，只有辽宁等17个省、自治区、直辖市出台了生育保险办法，15个省会城市和计划单列市、175个地级统筹地区、922个县级统筹地区出台了地方生育保险政策和办法，开展了生育保险工作。有的企业因效益不好，未参加生育保险，也无力按《女职工劳动保护规定》落实生育待遇。全国总工会女职工部2002年对2244家国有企业调查显示，一些企业出现了女职工生育费用不能全额报销，产假工资等费用不能按时足额发放等问题。其中有8.9%的企业不能报销女职工生育费用，4.3%的企业不发女职工产假工资，21.3%的企业女职工不能按规定完全享受产假待遇。大多数非公有制企业不执行《女职工劳动保护规定》，女职工产假工资无保障、生育费用得不到报销。据山西省对816家非公有制企业调查显示，83.8%的企业女职工产假期间不发工资。

（五）女职工劳动卫生、职业安全及健康保健问题突出。非公有制企业女职工劳动卫生、职业安全状况差。女职工长期在有毒有害作业的环境中工作，尘、毒、噪音严重超标，这种情况较为集中在橡胶、制鞋、化工、陶瓷、铸造、玩具等行业。部分劳动密集和规模较小的企业设备陈旧、工艺落后、作业环境差、存在严重的事故隐患。近年来因急性中毒、爆炸、火灾等造成多名女工死亡或致残的事件时有发生，严重侵害了女职工的人身安全和健康。部分国有企业女职工劳动保护水平下降。出现降低女职工劳动保护费用、劳动保护用品不能按时发放、卫生设施条件差且得不到改善的现象。如有的企业原每年为女职工发放劳保用品,现在两三年才发放一次,有的企业女职工长期在有毒有害和粉尘环境中工作,劳动保护设施得不到改善。

(六)男女两性职业结构存在较大差异,女性工作职位和晋升机会处于较为不利的位置。据全国妇联对一些用人单位的调查,60%的妇女的工作职位处于较低等级以下。有将近10%左右的妇女认为在职位晋升时受到自身性别的负面影响,7%左右的女性认为在职称的评聘方面受到由于性别原因的不公正待遇。男女两性在工作职位和晋升机会上的差异直接影响到女性的收入、所获得的社会保障和职工福利。

四、财产权益方面

在妇女财产权益受侵害的现象中,家庭财产权益受侵害的问题更为严重。据调查,妇女在住房、存款、土地等家庭财产的占有方面处于劣势,尤其是离婚时,妇女在财产上的劣势就表现得更加明显。男性在占有家庭财产方面占有优势,家庭中住房、存款、土地证书上的署名多为丈夫。农村妇女的土地承包权益受损的问题仍未得到根本解决,第二期中国妇女社会地位抽样调查结果显示,名下没有土地的农民占全国农业人口总数的8.3%,其中71%是女性。黑龙江省人大2003年11月的调查显示,第二轮土地承包时,全省有34.1万的农村妇女没有承包到土地。全国妇联的抽样调查显示,农村妇女享有承包土地的比例要比男性低近7个百分点,而完全没有土地的女性则比男性高近5个百分点。与此相应,女性享受村里土地分红等利益的比例也比男性低。而出嫁是农村妇女丧失土地的重要原因,在没有承包地的人中,有近1/3的女性是由于结婚出嫁异地失去而承包土地的。

五、人身权利方面

近年来,随着我国公民权利意识和法律素质的普遍提高,妇女对于维护自己人身权利的要求十分强烈。同时,在经济社会发展中,侵害妇女人身权利的新情况、新问题比较突出,比如拐卖妇女,至今没有得到有效遏制,而且近年来跨国拐卖的案件增多;利用妇女进行色情活动屡禁不止,并且出现了与色情活动有关的贬损妇女人格的新形式,像云南出现的人体宴,四川的母乳宴,还有广告中频频出现的有损妇女人格的画面;性骚扰的问题增多,中国社会科学院社会学所唐灿研究员2000年在深圳市对600人的一项问卷调查显示,32%的受访者表示曾遭到过不同形式的性骚扰,其中女性受害者占女性总样本的43%,男性占19%。2002年最新的一项调查显示,在被调查的200位北京市女性中,曾遭遇性骚扰的女性占71%。近年来,北京、武汉、西安等地还连续出现了职场性骚扰的民事案件。堕毙女胎的问题也很突出,已经对我国出生人口性别比造成了影响严重,目前全国性别比平均水平已达到117: 100,超过了107的最高警戒线。

六、婚姻家庭权益方面

目前,妇女在妇女婚姻家庭权益方面的问题集中表现在遭受家庭暴力方面,家庭暴力已成为婚姻家庭领域一个亟待解决的问题。首先,家庭暴力的投诉量呈较高的增长态势。近年来,全国31个省、自治区、直辖市妇联每年要接待和处理30余万件的群众来信来访,其中一半以上是婚姻家庭类问题,而家庭暴力是主要问题之一,投诉数量和所占比例均连年上升:2003年,妇联系统受理的婚姻家庭类问题为194,476件/次,其中家庭暴力问题46,114件/次,占23.7%,比2000年(24,029件/次)增加了22,085件/次,数量将近翻了一番,在婚姻家庭类问题中所占的比例上升了8.2%。其次,家庭暴力案件的施暴情节日趋严重。在妇联系统近年来接到的家庭暴力投诉中,致伤致残、致死案件增多,暴力的恶劣程度上升,2003年接到的由于家庭暴力致死的案件投诉为263件,比2002年上升了50.3%。由于家庭暴力得不到及时制止而引发的恶性犯罪案件时有发生。与此同时,精神伤害在家庭暴力的投诉中也有逐渐上升的趋势。随着近年来反家庭暴力的宣传，丈夫明目张胆地殴打妻子常会受到群众的指责。因此，一些丈夫便采用了精神伤害这种更加隐蔽的手段对付妻子，如侮辱、冷落、言语刺激等。再次，家庭暴力导致了多种不良社会后果。在我国，家庭暴力已经成为离婚率上升的主要原因之一，它破坏家庭和睦，影响子女的健康成长，对妇女儿童的人身和精神造成伤害。研究表明，在存在家庭暴力的家庭中长大的男孩，成年后虐待女性的可能性比其他人要大，也更容易犯罪。严重的家庭暴力还可能导致女性以暴抗暴，以犯罪手段进行报复，成为社会不稳定因素。江苏省妇联对南通女子分监的调查发现，在 513 名女罪犯中，237 个家庭存在家庭暴力，占 46.2%，而这 237 个存在家庭暴力的家庭中，有 125 人的犯罪直接与家庭暴力有关，因不堪家庭暴力杀人的女犯最小的 25 岁，最大的 58 岁。

（全国妇联提供）

有关保障妇女权益方面的国际公约和境外立法情况

一、国际公约

国际人权法中的非歧视原则（non-discrimination）是指所有人不分性别、种族、肤色、宗教、财产、出生或其他身份等平等享有权利，受法律平等保护。该原则在《世界人权宣言》、《经济、社会和文化权利国际公约》、《公民权利和政治权利国际公约》、《儿童权利公约》等重要国际人权法律渊源中都有体现。为了进一步提高妇女地位，促进妇女发展，国际社会还制定了一些专门性条约和文件保护妇女权利，如《消除对妇女一切形式歧视公约》、《消除对妇女歧视宣言》、《消除针对妇女的暴力宣言》、《妇女政治权利公约》等。其中，《消除对妇女一切形式歧视公约》是最主要的保护妇女人权、实现男女平等的国际人权文书。

《消除对妇女一切形式歧视公约》（以下简称《公约》）是迄今为止最全面的有关妇女权利的国际文件。该《公约》于1979年联合国大会通过，目前已有包括我国在内的179个国家批准了该公约。它界定了“对妇女的歧视”是指“基于性别而作的任何区别、排斥或限制，其影响或其目的均足以妨碍或否认妇女，不论已婚未婚，在男女平等的基础上认识、享有或行使在政治、经济、社会、文化、公民或任何其他方面的人权和基本自由。”《公约》的一个重要内容是敦促各缔约国采取“一切适当措施”消除针对妇女的歧视性法律和行为，要求缔约国向联合国秘书处提交国家执行公约情况的阶段性报告，就立法、司法和行政以及其他方面采取了哪些符合《公约》要求的保护妇女权利措施予以说明。联合国消除对妇女歧视委员会的一般建议还重申，缔约国政府在没有履行适当的责任保护妇女免受暴力或惩罚针对妇女的暴力行为的情况下，也将对私人行为负有责任。

在对妇女的权利进行一般性规定的基础上，《公约》也涉及了一些专门问题，如性骚扰、对妇女的暴力、拐卖妇女、卖淫以及农村妇女问题等。1992 年，联合国消除对妇女歧视委员会以《公约》为依据，通过了第 19 号一般性建议，把性骚扰定义为“以语言或行动形式，带有黄色或性要求性质，具有性取向的不受欢迎的身体接触和冒犯或带有性色彩的话语。这种行为可能是侮辱性的，并可能导致健康和安全问题；当妇女合理地认为她的拒绝会使其就业或职业（包括雇佣、升职或造成一个充满敌意的工作环境）处于不利的状况下，就属于歧视行为”。同时，明确指出性骚扰是一种基于性别的暴力，号召各国采取措施保护妇女免受性骚扰。

《消除针对妇女的暴力宣言》是专门反对针对妇女暴力的国际公约，由 1993 年联合国大会通过。它界定了“对妇女的暴力行为”：针对女性的暴力应当被理解为包含但不局限于身体、性和精神暴力……还包括在工作时遭受的性骚扰和威胁。阐明无论是家庭中还是社会上存在的对妇女的暴力，都侵犯了妇女的人权和基本自由，是历史上男女权力不平等关系的一种表现，妨碍了女性的充分发展，并把在工作场所、教育机构和其他场所的性骚扰列入对妇女的暴力行为加以反对。

《北京宣言和行动纲领》（以下简称《行动纲领》）是 1995 年在北京召开的第四届世界妇女大会上，由 189 个联合国会员国通过的保护妇女权益的国际性文件。它是各国政府、包括联合国在内的国际组织和民间社会内部以及彼此之间对话和交流的成果，是一项促进妇女人权、两性平等和赋予妇女权利的全球议程。联合国大会第二十三届特别会议通过《政治宣言》和一项题为“执行《行动纲领》的进一步行动和倡议”的成果文件，敦促各国重新承诺执行《行动纲领》。联合国经济及社会理事会妇女地位委员会负责集中讨论和审查《行动纲领》在国家一级的执行情况，以推动在地方、国家、区域和全球各级促进两性平等。

1958 年《(就业职业)歧视公约》(第 111 号)包含了反性骚扰的内容。国际劳工组织专家委员会在 1988 年关于雇佣和工作中的平等情况的调查中，将性骚扰界定为一种基于性别的歧视。1996 年，国际劳工组织专家委员会在其关于第 111 号公约实施情况的特别调查中指出，“性骚扰因造成工人的个人贞操和幸福问题而危及工作场所中的平等；它通过削弱工作关系赖以建立的基础和降低生产率的方式给企业带来危害。”专家委员会指出性骚扰应纳入条约的调整范围。

欧盟欧洲议会于 1976 年通过了关于实施男女在就业、职业培训和提升、工作条件方面平等待遇原则的指令。2000 年，欧洲委员会通过的一个指令提案修改了该指令，将性骚扰明确界定为一种性别歧视，并建议欧盟当时的 15 个成员国对性骚扰制定共同的标准，每个成员国成立一个独立机构，审理有关性骚扰的诉讼。2003 年，欧盟委员会再次对 1976 年的指令进行修改，将性骚扰定义为：施以对方非自愿的身体上或语言上的有性含义的进攻性行为，造成损害对方尊严、名誉，给对方心理造成恐慌、敌意、耻辱的后果。这种性意义上的歧视行为是被禁止的，无论被骚扰者拒绝或顺从，最后都可以构成对骚扰者的裁决。此次修改同时规定，所有成员国要制定相应的可行性处罚制度，并出台相应措施保证处罚制度的实施。

美洲国家组织通过了《消除对妇女暴力公约》，其中包含了与消除对妇女歧视公约委员会通过的第 19 号一般性建议类似的措施。

二、有关国家和地区的立法

随着对性别平等认识的进一步深化，人们对于男女平等从主要是强调“机会的平等”，到现在更强调“结果的平等”。越来越多的国家开始通过法律全面保护妇女的权益。根据联合国经济及社会理事会妇女地位委员会的有关报告，目前，至少有23个国家为妇女制定了全面的两性平等或平等机会法。如韩国于1999年制定颁布了《防止性别歧视及救济条例》，防止在就业、教育、社会福利以及法律及政策的执行时出现性别歧视，并设立性别平等部赋予其准司法权，负责执行该法律，调查性别歧视案件、对案件进行裁决、做出报告及赔偿建议等。日本于1999年颁布了《性别平等法》，2000年12月内阁通过了性别平等基本计划。二者共同促进国家和地方政府出台保护妇女的政策。其他一些国家则通过专门性立法保障妇女的权利。具体如下：

（一）促进妇女参政

为了能最充分地保证妇女最终进入决策领域，许多国家和地区加强了关于男女平等参政的立法规定。制定强制性妇女参政比例或者女性候选人比例已成为国际上促进妇女参政的一条最主要的成功经验。到2004年7月，世界上已有14个国家和地区在宪法中规定了国家议会中的女性比例，48个国家和地区在选举法等有关法律中制定了妇女参政比例，61个国家的129个政党在使用配额制。

1. 宪法规定国家议会/立法机构中妇女的比例

14个国家和地区在宪法中规定了国家议会中的女性比例，如孟加拉国、尼泊尔、菲律宾、中国台湾、圭亚那、厄立特里亚、肯尼亚、卢旺达、坦桑尼亚、乌干达等。

2. 选举法等有关法律法规中规定妇女参政比例

48个国家和地区在选举法等有关法律中规定了妇女参政比例，包括基层政权组织如村委会中女性的比例。如印度尼西亚、巴基斯坦、南非、坦桑尼亚、阿根廷、巴西、墨西哥、巴拉圭、秘鲁、委内瑞拉、巴拉马、比利时、法国、马其顿、塞尔维亚等。

阿根廷于1991年通过的法律中规定："议员候选人名单中必须至少包括30%的女性候选人并且与当选的可能性成比例。任何不符合这些要求的名单都不会得到批准。"最重要的是，法律规定整个候选人名单中必须自始至终都有妇女候选人的名字，不能把妇女名字放在不具现实当选机会的最后位置上。与法律规定的要求不一致的政党提出的议员候选人名单不予考虑。如果被拒绝的议员候选人名单没有依照法律要求进行修改,该党不得参加地方国会议员选举。在议会中为妇女保留30%候选人名额的规定使得女议员在议会中的比例从1993年的13.23%上升到1997年的24.8%、2004年的34.1%。阿根廷议会中女议员的人数在美洲排列第一位,在全世界排列第11位。

法国1999年通过平等选举法。该法律支持在议会和政府官员选举中男女享有平等选举权,要求政党在其参加议会选举中的名单中包括50%的妇女代表,违反这一规定的政党要受经济处罚。2000年6月通过的平等选举法修正案明确规定,由任何现在的政党提出的全国范围的国民议会议员候选人中,介于48%—52%的候选人必须是妇女。如果该百分比更高或者更低,国家将削减该政党捐款数量。根据新规定进行的首次选举于2001年3月举行,通过选举进入地方各级机构的妇女人数几乎成倍增长,从原来的25%猛增到了47%。

印度尼西亚选举法规定政党在为每一个选区提名候选人时,至少要考虑有30%的妇女代表。

南非1994年妇女在立法机关拥有议席的百分比在世界上排列第141位。在非国大为妇女候选人确定了30%的妇女候选人的比例后,2000年,南非在世界上的排名上升到了第10位,妇女议员人数占下议院议员的29.8%。

墨西哥联邦选举法规定,政党必须鼓励妇女参与国家政治生活,在其章程中必须确定妇女参政原则,所有提交联邦选举机构登记的联邦下议院和上议院提名选举候选人中,任何一种性别候选人的比例不得超过70%。

比利时选举法规定,任何政党的议员选举候选人中的同性候选人不得多于2/3。这一代表数要求同样适用于下议院和参议院,适用于区、社区、省、市议会选举,还适应于欧洲议会选举。如果不遵守上述要求提出女性候选人名单,那么这些候选人名单要么空白,要么被宣布无效。这部法律第一次彻底实施是 1999 年的欧洲议会选举，在这次选举中，女议员当选人数从 18. 5% 上升到了 23. 3% 。

印度村务委员会法为妇女在三级村务委员会中(村委会、村群委员会、区委员会)保留了 33% 的名额。

阿根廷的 24 个省中，有 22 个省的法律规定了省和市的议员配额制。

芬兰法律要求在各级决策机构中，男女要至少各占 40% 。这一规定使得妇女比例从 1980 年的 25% 上升到 1996 年的 48% 。

3. 政党在选举中规定女性候选人的比例

目前，至少有 61 个国家的 129 个政党在使用配额制。北欧国家妇女在议会中的代表数在世界上名列前茅。瑞典妇女占议会中 40% 的议席，芬兰妇女占议会 34% 的议席，挪威妇女占 38% 的议席，丹麦妇女占议会中 34% 的议席。这与这些国家施行政党配额制度有密切关系。

挪威劳动党 1983 年决定“在所有选举和提名候选人中，男女两性至少必须有 40% 的代表。”其他挪威政党也开始紧跟劳动党的做法，包括社会左派、中间力量政党以及基督教民主党等。

丹麦社会民主党 1988 年规定：“每一性别至少 40% 的候选人有权成为社会党在地方和区域的代表。如果没有提出足够的包含每一性别候选人的名单，这一权利就不能完全生效。”这一规定也适用于党内选举。

瑞典社会民主党 1994 年引进了“下一位必须是女性候选人”原则，意即如果候选人中的第一位是男性候选人的话，第二位就必须是女性候选人。然后第三位候选人是男性，第四位候选人必须是女性。反之亦然。

德国社会民主党规定在每次选举中，候选人名单中必须有 40% 的性别配额。绿党规定了 50% 的配额制。

英国劳动党在 20 世纪 80 年代末开始采用配额制。英国的上议院选举也规定了候选人的最低性别配额要求，按照这种配额制规定，如果政党的地方分支机构提名一位妇女作候选人，在选区候选人名单之中至少应当有一名妇女。

(二)劳动就业权利和反对工作场所的性骚扰

1995年以来，许多国家陆续制定或修订了劳工法、就业平等法或关于男女就业机会平等、禁止就业性别歧视和矫正就业不平等的相关立法。各国还增加规定了妇女平等担任专业工作的机会，保护妇女在工作场所不受性骚扰以及因怀孕而受到歧视，规定了妇女的产假或者为父母双方提供育儿假机会。越来越多的国家尤其是在亚太地区，开始采取特别立法反对工作场所的性骚扰，如澳大利亚、中国香港、日本、菲律宾和斯里兰卡等。

澳大利亚1995年通过的《性别歧视修正案》规定对雇员、同事、求职者、合同工或临时工的性骚扰是非法的。1996年的《工作场所关系法》规定禁止以投诉性骚扰为由解雇雇员。1997年南澳大利亚通过了平等机会(性骚扰)法修正案，禁止司法人员和议员的性骚扰行为。

菲律宾1995年通过的《反性骚扰法》规定，在就业、教育和培训等领域的一切形式的性骚扰为非法，并将刑事责任和行政措施有机结合起来。具体规定如下："工作、教育、培训中的性骚扰是由雇主、雇员、经理、主管、代理人、教师、辅导员、教授、教练、培训师或其他在工作、培训或教育中相对另一方拥有权威、影响或心理优势的人实施的，是以命令、要求或以其他方法谋求来自另一方的性给付的行为，该要求性顺从的命令、要求或谋求是否为本法对象接受在所不论。符合以下情形的，构成工作或雇佣中的性骚扰：(1)性给付作为对上述人员进行临时雇佣、雇佣、再雇佣或继续雇佣、或给予其优惠性补偿、合同条款、晋职或特权的条件；拒绝给予性给付导致对雇员的限制、隔离或排挤，从而导致上述雇员在就业机会方面蒙受歧视、剥夺或削减或其他形式的不利；或(2)上述行为对该雇员依据现行劳动法享有的权利或特权构成妨碍；或(3)上述行为将导致该雇员面临胁迫、敌对或进攻性环境。"

另外,菲律宾的劳动与就业部在1991年专门颁布了对本部门官员或雇员、求职者或客户实施性骚扰适用的行政命令,不仅对性骚扰进行了界定,而且主张对这种无耻和不道德的严重冒犯行为提起行政诉讼。

日本1999年修订的《男女雇佣机会均等法》规定,雇主在招工、录用、工作安排、晋升、教育训练、福利待遇、退休、退职及解雇等方面不得歧视女性劳动者,保证女性劳动者母性得到尊重的同时,能够享有充实的职业生活。第21条还规定,雇主必须特别考虑避免发生工作场所的性骚扰,各地劳动部门通过建议、磋商或调解等非强制性的方式快速处理雇主和雇员之间、雇员与雇员之间发生的性骚扰事件。同年,教育、文化、体育和科技部制定了《预防性骚扰条例》,防止在校园内发生性骚扰事件。日本的《侵权法》也规定,雇主或人事主管有义务调整工作环境,如果他们知道工作场所有性骚扰行为而未采取行动,即违反了该义务。

韩国1999年颁布的《防止性别歧视及救济条例》规定,公共机关及雇主应在就业机会及待遇方面确保两性平等,不得在招聘、升迁、转职、解雇及退休方面进行性别歧视。该条例赋予性别平等部以准司法权,调查性别歧视案件并规定相应的纠正措施。该条例第2条明确了性骚扰的定义,即"代表在商业上、工作及其他关系中,公共机关的雇主及雇员,利用他们的职务,或在商业来往上使用任何与性有关的语言或行为,或在工作上施以不便,以回应对带有性的语言或行为或其他性要求持拒绝态度的雇主及雇员。"第7条明确规定禁止性骚扰,具体而言包括:"公共机关的雇员和雇主不可对他人进行性骚扰;公共机关的雇主及总裁应按照总统法令,制定措施防止性骚扰,例如推行教育活动;性骚扰被视为性别歧视的一种。"同年修订的《平等就业法》也明确规定在工作场所的性骚扰是非法行为,是男女机会平等的一大阻碍。另外,《未成年人性别保护法》也为未成年人免受性暴力提供了保护。

中国香港1995年通过的《性别歧视条例》规定,要排除雇主和雇佣领域中一些组织(如合伙企业、工会和政府)中存在的性别歧视和性骚扰。该条例把性骚扰定义为:一方向另一方做出不受欢迎,与性有关的语言或举动,包括身体接触的语言、图文展示、眼神及姿势等。性骚扰亦指带有性别歧视的偏见和言论,例如,不断尝试约会对方,并做出猥亵姿势或不恰当触摸。

2001 年 2 月,我国台湾地区内政部通过的"性骚扰防治草案"规定,性骚扰是指:对他人实施违反其意愿而与性或性别有关的行为,包括性侵害犯罪和要求他人服从与性有关的行为,并以此作为他人获得工作、教育、训练或服务有关权益的条件,以及以展示或播送文字、图画、声音、影像或其他物品的方式或以歧视、侮辱的言行,使人心生畏惧、感受敌意或冒犯的情况,影响他人工作、教育、训练或服务的进行。对性骚扰者,将处以新台币 3 万元以上 30 万元以下的罚款。机关、部队、学校、机构或雇用人若未对性骚扰案件采取适当的预防或惩处措施,将处以 5 万元以上 50 万元以下的罚款,在限期内未能改善这一情况者可被连续处罚。

斯里兰卡 1995 年通过的刑法典修正案规定,"以侵害或采取犯罪手段,或以语言或行为使他人受到性骚扰,导致该人遭受性烦扰或骚扰的,构成性骚扰罪。"该法典还规定,"上级在工作场所或其他地方以言语或行为做出的不受欢迎的性表示,也应构成性骚扰罪。"

美国 1964 年将性骚扰写入《人权法案》,1975 年美国联邦法院第一次把性骚扰定义为"被迫和不受欢迎的与性有关的行为"。1980 年平等就业机会委员会针对就业领域的性骚扰问题制定专门法规,在下列三种情况下,向对方做出不受欢迎的与性有关的言语、要求或动作,即构成性骚扰:一是迫使对方接受某种行为,作为受雇或就学的明示或暗示的条件;二是对方接受某种举动与否,将成为影响某个人升迁或学业成绩的先决条件;三是这种举动有以下目的或导致以下后果:不合适地干扰工作或学业;制造一个令人不安、不友善或令人反感的工作或学习环境。

法国 1992 年就出台了对性骚扰和工作场所性骚扰的制造者处

以刑罚的法律。2003 年,法国公布了一项针对性骚扰的法律,具体规定:任何正式员工、试用期员工、实习员工不能够因为忍受或拒绝任何性骚扰行为而受到处分、解雇,或通过与酬金、培训、重新调整级别、职位、专业资格、分工、职位升迁、更改或重订合同有关的直接或间接方式被歧视;另外,任何员工不得因证明过性骚扰行为或本人与该行为有关联而被处分、解雇或成为歧视对象……骚扰人应该受到纪律处罚(如果其同样是受雇职工,最重可以受到解雇级别的处罚)及刑事处罚(1 年监禁和 1.5 万欧元的罚款)。

(三)婚姻家庭权利和反对家庭暴力

95 世妇会后,至少有 35 个国家修订了民法和家庭法及个人身份法,包括修订或完善下列各方面的规定:男女最低结婚年龄;配偶之间的平等地位;分居和离婚的要求与批准;赡养费的支付;亲子关系;子女共同监护权和婚姻解体时的财产分配。巴巴多斯、伯利兹和哥斯达黎加的家庭法在资产、遗产和财产权利方面对习惯法婚姻中的妇女给予平等权利。摩洛哥 2004 年家庭法规定了男女在家庭方面的平等权利和责任原则。若干非洲国家加强了妇女使用、拥有或继承土地或共同财产的平等权利。刚果加强了妇女订立契约和提起法律程序的权利。

随着日益增多的国家认识到家庭成员实施的暴力行为是影响妇女的最常见暴力行为,越来越多的国家制定了专门的反对家庭暴力的法律法规。韩国 1997 年《反家庭暴力法》生效。这个法律包含了两个法案:一个是《预防家庭暴力和保护受害者法案》;另一个是《惩罚家庭暴力的特别法案》。这两个法案都旨在加强保护受害者及其家人。日本 2001 年制定了《预防配偶间暴力和保护受害者法》。哥斯达黎加、吉尔吉斯斯坦和菲律宾等许多国家大多按照区域或国际规范通过或修正了关于家庭暴力的立法。

(全国妇联提供)